CB078573

A ARTE DE PRODUZIR EFEITO SEM CAUSA

Lourenço Mutarelli

A ARTE DE PRODUZIR EFEITO SEM CAUSA

2ª reimpressão

Companhia Das Letras

Projeto gráfico e capa
Kiko Farkas/ Máquina Estúdio
Mateus Valadares/ Máquina Estúdio

Preparação
Márcia Copola

Revisão
Marise S. Leal
Arlete Sousa

Os personagens e as situações desta obra são reais apenas no universo da ficção; não se referem a pessoas e fatos concretos, e não emitem opinião sobre eles.

Dados Internacionais de Catalogação na Publicação (CIP)
(Câmara Brasileira do Livro, SP, Brasil)

Mutarelli, Lourenço
A arte de produzir efeito sem causa / Lourenço Mutarelli.
— São Paulo: Companhia das Letras, 2008.
ISBN 978-85-359-1262-3
1. Romance brasileiro I. Título.

08-05854 CDD-869.93

Índice para catálogo sistemático:
1. Romances : Literatura brasileira 869.93

[2014]

EDITORA SCHWARCZ S.A.
Rua Bandeira Paulista, 702, cj. 32
04532-002 – São Paulo – SP
Telefone (11) 3707-3500
Fax (11) 3707-3501
www.companhiadasletras.com.br
www.blogdacompanhia.com.br

Este livro é dedicado à pessoa mais criativa e sonhadora que conheci. O mais surpreendente é que, quando desperto, porque sempre desperta, ele trabalha para realizar os sonhos. Os seus e os dos seus. Com profunda gratidão ao amigo Rodrigo Teixeira

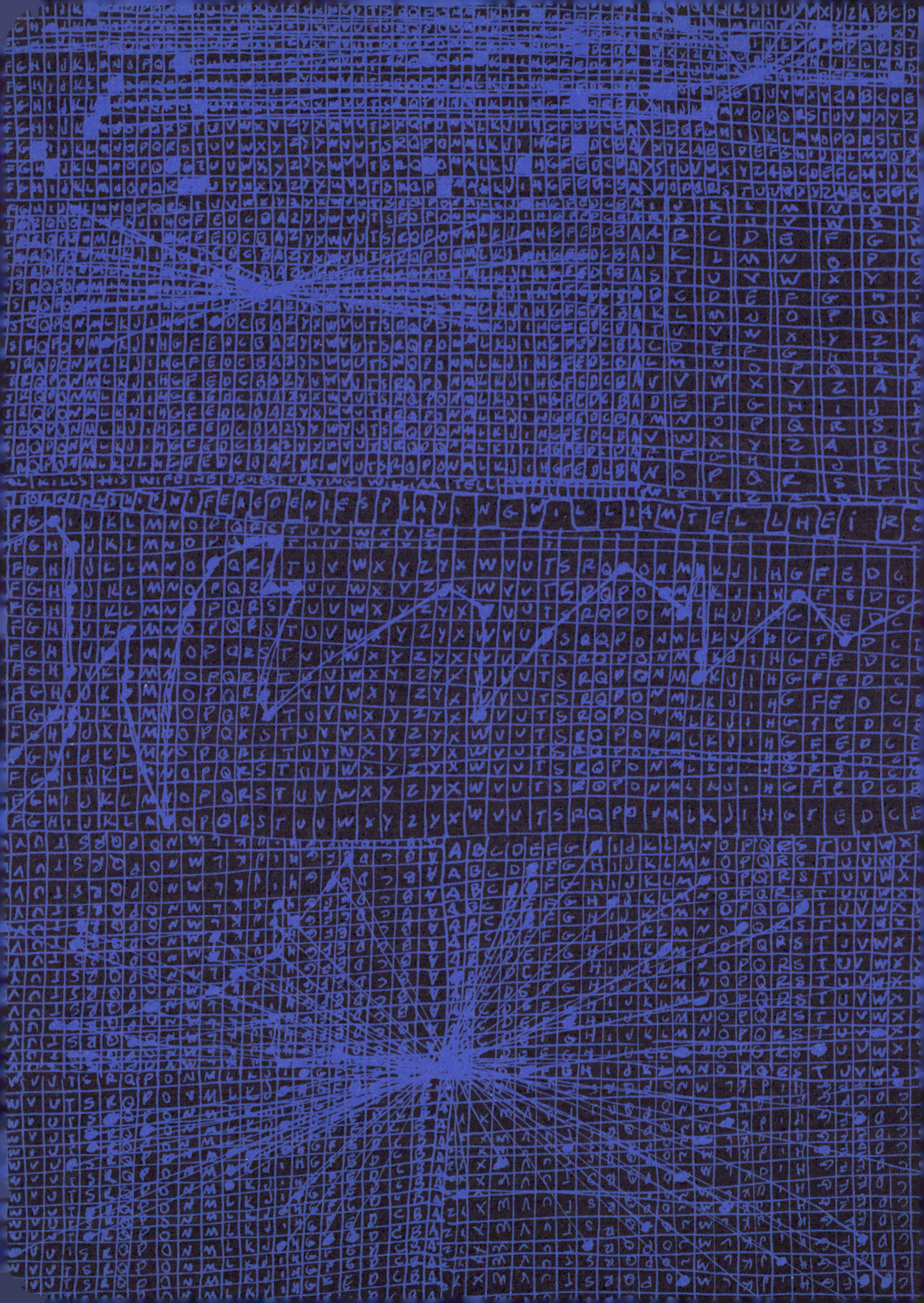
KILLS HIS WIFE
PLAYING WILLIAM TELL

Livro 1

Efeito

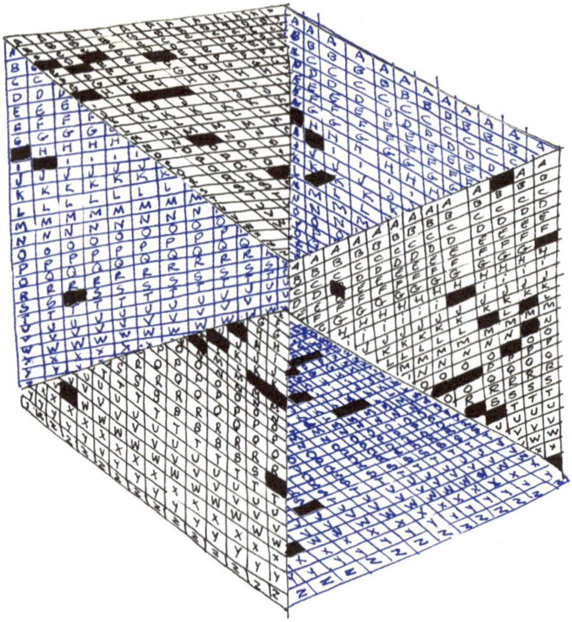

Eu me sinto pior porque não posso mais reter na mente, a partir da mente das mentes para me proteger da mente e acima no ouvido que pode ser encontrar no meio de nós mesmos.

Paciente afásico expressivo

Inventário

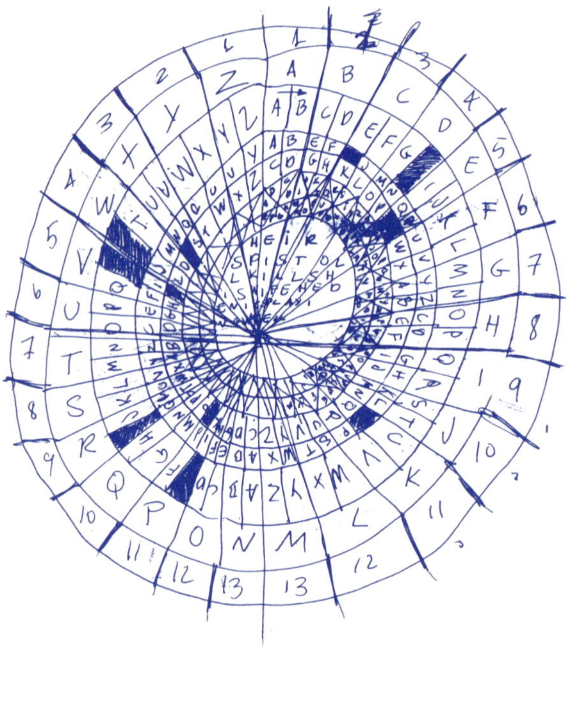

1

O metrô está vazio. Já passa das onze. Júnior carrega a expressão da desilusão e uma pequena mala. Respira com dificuldade pela boca. Seu rosto parece uma máscara. A máscara do desengano. Ou do engano? O maquinista ou uma gravação anuncia a próxima estação. Júnior nunca conseguiu descobrir quem anuncia as estações. Levanta com dificuldade e salta. Caminha de maneira letárgica, mecânica, como se algo o empurrasse, com esforço. Carrega uma pequena mala e quarenta e três anos mal-dormidos. As escadas rolantes já foram desligadas. Júnior escolhe a escada. A cada passo parece brotar um novo degrau. Júnior sobe metade da escadaria e desiste. Senta num degrau. Respira pela boca. Rapidamente surge um segurança e adverte que não é permitido sentar na escada. Júnior estende a mão. O homem, vestido de preto, o ajuda. Júnior termina a escalada com o auxílio do corrimão. Júnior se arrasta por uma rua deserta e mal iluminada. Três garotos surgem das sombras e caminham silenciosos atrás de seus passos. Disparam num repente, derrubando Júnior no meio-fio, e fogem levando a bagagem. Júnior caído na sarjeta, numa água empoçada, com o supercílio aberto. Júnior desata a chorar. Chora sem som e sem lágrima.

0270100424. Diodo negativo. Como se nada tivesse acontecido, Júnior se levanta e segue. Na mesma rua, trezentos metros à frente, aperta um interfone preso no portão de um prédio.

— Quem?

— Seu José do 51.

— Quem devo anunciar?

— Júnior.

— Nuno?

— Júnior.

— Nuno?

— Não! Júnior!

— Bruno?

— Júnior!

— Aguarda um momento.

— Nuno — resmunga com indignação. — Nuno. — Limpa o supercílio com a manga da camisa. Camisa de manga curta.

— O seu José disse que não conhece nenhum Nuno. O senhor espera que ele vai descer.

Júnior espera. Seu pai desce e o avista. Manda abrir o portão.

— É meu filho, porra!

— Foi o senhor que disse que não conhecia ele.

— Você falou Nuno. Nuno eu não conheço mesmo.

— Mas foi ele que falou que era Nuno.

O pai abraça o filho e percebe as roupas molhadas, o rosto que sangra. Não parece perturbado com o estado do filho. Ampara o primogênito até o elevador. Curiosamente não há câmera. Não é preciso sorrir. Descem no quinto. O pai é um homem forte, bronzeado e bem barbeado. Dá uns tapas nas costas do filho como se quisesse reanimá-lo ou ressuscitá-lo.

— Entra.

Ele entra.

— O que foi isso aí? Por que está todo molhado?

— Fui assaltado. Levaram minha mala e me jogaram no chão.

— Pensei que tivesse se metido em briga. Esses punguistas...

— Eu bobeei.

— Tinha algo de valor, algo importante?

— Eu não sei. Não fui eu quem fez a mala.

— Que merda, hein, filho? Então foi ela quem te botou pra fora. Que sinuca. Pra ela ter te botado pra fora, você deve ter aprontado alguma.

Júnior não responde. A única coisa que determina a idade do velho são certas expressões antiquadas.

— Vai tomar um banho, eu te arrumo um pijama. Não pode ficar assim molhado ou vai pegar uma pneumonia.

Júnior segue para o banheiro.

— Vai que eu vou pegar a toalha e a gilete. Não deve ficar com a barba assim por fazer. Isso te dá um aspecto de fracasso.

O importante é não demonstrar o fracasso. Júnior entra no pequeno banheiro de azulejos cor-de-rosa. Tranca a porta e se despe, deixando as roupas caídas no chão. O pai grita instruções do outro lado.

— Abre só um tiquinho o chuveiro e espera a água esquentar, depois você ajusta a temperatura, mas tem que esperar a água sair pelando. A toalha e o pijama vou colocar aqui num banquinho. Vê se não sai pelado, não se esqueça da moça.

Júnior não responde. Não consegue aquecer a água, acaba tomando banho frio. O cheiro do sabonete lhe traz a infância. O pai ainda usa Phebo odor de rosas. Isso o faz lembrar de Caio, seu filho. Um garoto de treze anos, rebelde como todos os de sua geração. Ele fica preocupado porque sabe que o filho toma banho e sai do banheiro sem blusa e descalço e agora não vai ter ninguém para alertá-lo. Essa lembrança desencadeia outra: Thiago, o melhor amigo do filho.

— Já comeu?

— Comi.

— Comeu, nada. Vou fazer uns ovos mexidos.

Júnior se seca com uma toalha que cheira a naftalina. Veste um pijama listrado. Penteia os cabelos e vai para a cozinha.

— Senta.

Júnior senta.

— No espelho da pia tem band-aid, pega lá que eu dou um ponto-falso nesse corte.

Por que ele mandou sentar e em seguida me manda buscar o band-aid no banheiro? Para ver se continuo adestrado? Isso é o que Júnior parece ter pensado, a julgar por seu olhar. Assusta-se quando ouve a porta da sala se abrindo.

— É a moça. Bruna, venha comer uns ovos mexidos.

Bruna entra cheia de cadernos e livros. Bruna é jovem, pálida e muito bonita. Usa óculos pretos e retangulares com grossas hastes de plástico.

— Oi.

— Oi.

— Esse é meu filho, Bruna.

— Oi.

— Oi.

— Ele vai ficar uns tempos aqui com a gente. Tá com fome?

— Não. Eu comi na facul. Vou pro meu quarto.

Júnior procura disfarçar a impressão que a moça causou. Sua beleza, sua jovialidade o desconcertam. Com ajuda de uma colher de pau, José despeja os ovos no prato do filho. Abre um saco pardo e tira um pãozinho. Acomoda um copo ao lado do prato e pega o saco de leite da geladeira.

— Vou te fazer companhia.

Júnior come de cabeça baixa.

— Foi hoje?

— O quê?

— Que ela te botou pra fora?

— Não. Foi ontem.

— O que foi que você aprontou? É mulher?

— Eu perdi o emprego.

— Caramba! Puta que la merda!

Júnior não perdeu o emprego. Júnior abandonou o posto.

— É assim. A desgraça é assim. Vem tudo de uma vez.

Júnior come. Já não há expressão alguma em seu rosto.

— Deve ser só uma crise. Você sabe que eu e a Márcia nunca nos bicamos, mas tem o Caio... Ele precisa de você.

— Ninguém precisa de mim, pai.

— Não baixa a guarda, não, filho.

Júnior balança a cabeça.

— Olha, filho, eu não quero saber o que aconteceu com vocês, mas, se quiser conversar, estarei por aqui. Casamento não é fácil. Eu e sua mãe só não nos separamos porque os tempos eram outros.

— Você pôs sal no ovo?

— Claro. Quer mais sal?

— Por favor.

— Você sabe que não se deve abusar do sal.

Sênior passa um saleiro encardido. Dentro, em meio ao sal, há grãos de arroz mais encardidos ainda.

— Você deve estar chateado, ainda mais por ter perdido o emprego, mas eu te garanto que essa é só uma fase.

Júnior balança a cabeça.

— Eu conheço um monte de gente, logo você vai estar empregado de novo.

Júnior come de cabeça baixa.

— Vou separar um jogo de cama. Só não tem travesseiro, mas você pega uma almofada.

— Não se preocupe, pai.

— Come tudo, hein? Você precisa de energia.

Júnior ameaça dizer algo, mas desiste.

— Que foi?

— Nada.

— Você ia falar alguma coisa.

— O Caio disse que tem vergonha de mim.

— É assim mesmo. Na idade dele você também tinha vergonha da gente.

— Nunca tive vergonha do senhor, pai, nunca.

— O Caio é um adolescente, isso passa. Ele tem o gênio da mãe.

Júnior come de cabeça baixa.

— Vou ajeitar sua cama. Você precisa repousar. Comer bem e descansar, é isso que você precisa agora. Você vai ver, é só uma fase. Você não consegue ver isso porque está de cabeça quente. Espera a poeira baixar.

A cama de Júnior é o sofá da sala.

0261210030. Sensor de rotação. O apartamento é pequeno. Um amplo, mas nem tanto, quarto com opção para dois. É o que a maioria faz, divide. Põe uma divisória de madeira. Sênior foi mais inteligente: aproveitou a divisória como fundo de um armário embutido. A outra parte do quarto ele aluga. No momento, para Bruna. Há uma faculdade de artes na própria rua e isso traz jovens moças vindas do interior, desesperadas por um lugar na cidade.

O sofá é pequeno e malcheiroso. Guarda ainda a presença de Laika, a vira-lata que morreu de câncer faz mais de sete anos mas deixou vestígios em forma de nódoas. Deixou suas marcas. Talvez mijasse no sofá para que muito tempo depois Júnior não pudesse esquecê-la. Eu estive aqui, eu existi, dizia o mijo. Os lençóis cheiram a naftalina, a almofada foi impermeabilizada por uma camada de gordura humana. Sênior vai para o quarto, já passa da meia-noite.

— Boa noite, filho.

— Boa noite.

— Dorme com Deus.

Um bêbado grita na rua. Sirenes e buzinas. Um alarme anuncia que o veículo está sendo roubado e pede que liguem para um zero-oitocentos.

2

Júnior desperta com o cheiro do café. Há muito não acorda com esse perfume. Na sua ex-casa era ele quem fazia o ex-café pela manhã. O café de sua ex-esposa era horrível. Júnior ouve a água fervendo para escaldar a garrafa e o farfalhar do saco de pães. O som de torradas saltando e a pesada porta da velha geladeira batendo. O relógio do videocassete marca seis horas. Júnior tenta levantar, mas acaba pegando no sono de novo. Não é um sono profundo, é mais um transe. Imagens desconexas surgem enquanto ele segue identificando os sons matinais.

— Filho?

Júnior vê a imagem de seu filho.

— Filho.

Júnior vê Thiago, o filho de seu antigo patrão, brincando com Caio, seu menino.

— Filho.

— Pai?

— Eu vou precisar sair, vou levar a Lurdinha pra fazer uns exames.

— Quem é Lurdinha?

— A vizinha aí de cima, aquela que eu falei...

— Falou?

— É a que está gamadona em mim.

— Ah, sei.

Júnior começa uma série de espirros.

— Já vou levantar.

— É só pra você saber que tem uma cópia das chaves naquele vaso da estante onde guardo as canetas. Pode pegar pra você.

Júnior ainda espirra em série.

— Depois a gente vê como vai fazer com as refeições.

— Que refeições, pai?

— É que eu tenho comido na Lurdinha.

— Não se preocupe, eu me viro.

— Qualquer coisa, liga no meu celular.

— Pode deixar.

— Você está com o seu celular?

— Eu trouxe, mas esqueci o carregador.

— O meu não serve? Tenta o meu.

— Não serve.

O velho beija a face do filho e sai fazendo barulho com um molho de chaves e assobiando. O pai sempre assobia a mesma melodia. É quase um tema. Júnior desconfia que tal música nem exista, que se trate apenas de um pot-pourri de autoria dele próprio. Júnior aproveita e vai esvaziar a bexiga, mas o banheiro está trancado. 0227100142. Unidade de comando da ignição. Ouve o barulho do chuveiro e sente um perfume delicioso, provavelmente do shampoo. Só há um banheiro. Júnior se serve de café e acende um cigarro. Não encontra o jornal. Bruna sai enrolada numa toalha.

— Ai! Cigarro logo cedo!

— Desculpe, eu vou fumar na área de serviço.

Bruna bate a porta do quarto. Júnior tenta expelir a fumaça através do vitrô da minúscula área de serviço, mas o vento está contra. Quando termina o cigarro, arremessa a ponta pela janelinha. Bruna já está vestida e come apressada. Como se fosse tirar o pai da forca, diria o pai dele.

— Desculpe pelo cigarro.

— Estou atrasada.

— Você estuda de manhã?

— Não. Eu trabalho.

— É?

Ela enfia um pão quase inteiro na boca e olha para ele como se dissesse: não precisa ser simpático. Não precisa fingir interesse. Júnior apanha um pedaço de pão no saco pardo que agradece a preferência. Ela sai. Júnior enche o copo de novo e dessa vez vai fumar no sofá. A parte que lhe cabe no mundo. Não encontrando cinzeiro na sala, usa o copo em que estava o café. Uma imagem terrível faz seu coração disparar. Imagem recorrente. Pós-trauma. Precisa se distrair.

Sem ter o que fazer, começa a vagar pela casa e vasculhar as coisas. Embora nunca tenha morado nesse apartamento, tudo ali o remete à infância. A louça, o que sobrou do jogo. O filtro de gravidade, filtro de barro. A velha torradeira, os velhos LPs de Gardel, Goyeneche, Edmundo Rivero, Zitarrosa, Atahualpa Yupanqui... A vitrola, os quadros. Velhas reproduções desbotadas cobertas por camadas de poeira. *O menino chorando* é uma reprodução clássica que decorava as casas da classe média baixa. Uma lenda diz que no empanamento da blusa vermelha do garoto há, oculta, a cara do diabo. Júnior consegue ver o diabo. Sempre conseguiu. Em seguida encontra outro quadro que sempre o perturbou, uma pintura a óleo assinada por um tal de Natam. É uma paisagem marinha que, apesar da calma aparente, sempre lhe causou mal-estar. Talvez em virtude de uma enorme e cinzenta nuvem que parece guardar uma face demoníaca. Esse quadro sempre lhe causou um frio na espinha. Talvez, um prenúncio do horror que se esconde na praia. Ele segue as imagens penduradas na parede. Uma série de quatro gravuras representando ruas de Parati. Uma camponesa ceifando um ensolarado campo de trigo. Feito a morte. Começa então a tocar os enfeites que decoram a sala. A miniatura de um bassê de plástico marrom translúcido foi na verdade um frasco de perfume da Avon antes de virar enfeite. Uma pequena cesta com grãos de arroz, feijão e milho envernizados. Sobre os grãos um papelzinho com os dizeres: “Nada te faltará”, escritos à mão numa letra melindrosa. Um troféu de um latão que imita o bronze com inscrições do campeonato de futebol de 1972 do Clube de Campo Itapevi. Uma flâmula de um time de beisebol americano. *O poderoso chefão*, do Mario Puzo, e vários volumes do Morris West. *O advogado do diabo*, *A salamandra* e *As sandálias do pescador*. Livros que Júnior nunca leu. Um velho catálogo McMaster 65. Um porta-retratos com a família completa, no colorido das antigas fotografias. O abajur de haste longa ao lado da velha poltrona. A colcha verde da cama de casal. Com losangos em detalhes brancos. A geladeira, a estante, o rádio de pilha ao lado do pingüim. Júnior vaga pelos poucos cômodos fazendo o inventário emotivo desses objetos. No fundo do guarda-roupa há colado um pôster com a foto de Carlos Gardel. Caixas de papelão repletas de artigos de escritório de quando Sênior estava na ativa e mantinha a firma de despachante com o sócio. Pilhas de cadernos-brochura sem pauta que o casal costumava usar para anotar os pontos das partidas de buraco. Não jogavam a dinheiro. A era pré-bingo. Passavam as noites de sábado jogando com outro casal. Júnior era menino e sentava-se à mesa e brincava com as fichas de apostas. Júnior formava figuras com aquelas fichas azuis. Até a hora de dormir.

Como um garoto, vasculha cuidadosamente as gavetas do velho repletas de objetos estranhos. Numa delas encontra o traje negro e o pequeno avental com a imagem de uma cabeça decepada sendo erguida pelos cabelos por uma mão misteriosa. Vestes do tempo em que seu pai era ligado à maçonaria. Sob as vestes algumas publicações da tal sociedade. *No umbral do mistério*, de Stanislas de Guaita, *ABC do ocultismo*, de Papus, *História da magia*, de Eliphas Levi, e várias apostilas mal datilografadas. No criado-mudo, uma estranha peça com três gavetas, um Buda de orelhas imensas ri com as mãos na barriga. A seu lado está alinhada uma Nossa Senhora negra, de gesso, coroada e com um manto de tecido trabalhado. Uma lasca fez surgir um nariz branco. Nas gavetas do criado-mudo há uma série de pequenas caixas desbotadas pelo tempo e pelo desuso. A primeira gaveta guarda coisas mais imediatas, mais recentes. Uma lanterna de pilha, algumas caixas de remédios, um Novo Testamento de bolso. As outras protegem os pertences que o pai selecionou nos quase setenta anos de vida. Uma caixa de papel com uma gaita enferrujada que Júnior soprava quando era menino, um binóculo que se abre quando um botão é acionado, uma caixa plástica com um jogo de cinco minúsculas chaves de fenda. Uma caixinha de laca japonesa abriga um par de abotoaduras de ouro, duas peças de madeira de um antigo jogo de damas, um bispo preto também em madeira, dois slides de uma desconhecida mulher nua que Júnior usou inúmeras vezes para se iniciar nas artes do vício solitário. Sempre alimentou uma imensa curiosidade em saber quem era aquela figura. Sua mãe dizia que era uma "vagabunda" que andava com seu pai antes de eles se casarem. Talvez fosse ela própria.

Olga, sua mãe, foi uma professora de história que nunca viajou. Dava aulas numa escola pública. Era uma mulher muito fria, de olhos escuros e com um olhar de reprovação constante. Obcecada por antigas civilizações.

Uma lupa, um baralho, uma velha prótese dentária, duas balas calibre 38. Algumas cartas presas por um elástico. Tudo como era antes. Exceto o pôster colado no fundo do guarda-roupa.

Passado o interesse, Júnior volta para o sofá e apaga.

3

— Júnior? Acorda, rapaz.

— Pai?

— São duas da tarde, vai dormir o dia todo?

— Nossa!

— Você almoçou?

— Não, tomei café e peguei no sono de novo.

— Eu vou fazer uns ovos mexidos pra você. Você come no pão.

Júnior liga a TV e tenta acompanhar um programa pautado pela leitura das revistas semanais. Uma mulher feia, com uma voz esganiçada, fica sentada atrás de uma mesa folheando as revistas e lendo as matérias para a câmera. As imagens, além da patética figura, são closes das fotos das próprias revistas. José traz um pão recheado de ovos mexidos num pratinho de sobremesa e um copo de leite.

— Você precisa reagir, filho.

— Eu sei. Só estou botando a cabeça no lugar.

— Dormindo você não vai resolver nada. Isso é fuga.

— Eu só preciso de um tempo. Preciso descansar um pouco. Estou sem força.

— Isso é depressão, precisa reagir. Não pode ficar dando sopa pro azar.

— Eu vou reagir, pai.

— Eu não quero me meter na sua vida. Mas também não posso te ver afundando e não fazer nada.

Júnior morde o pão.

— Se não quiser me dizer o que aconteceu, não precisa, mas, se quiser conversar, você sabe que pode contar comigo.

— Eu sei, pai.

Júnior mantém os olhos fixos na tela.

— Esse programa é bacana.

— É.

— Essa fulana é boa.

Seu olhar atravessa o aparelho.

— O que você achou da Bruna?

— Que Bruna?

— A moça que aluga o quarto, pombas!

— Ah! Parece legal.

— Ela é legal.

Que diabos ele está tentando dizer?, Júnior parece perguntar com os olhos. O assunto morre ali mesmo. A apresentadora folheia revistas. As pálpebras de Júnior começam a pesar e ele adormece sentado. Antes de terminar o lanche. Por sorte o pai, instalado na poltrona, também adormece. Enquanto a moça folheia as revistas e fala com voz de taquara.

Desperto pelo ronco do pai, Júnior vai buscar suas roupas. Lembra que as deixou jogadas no chão do banheiro. Encontra-as secas e penduradas no varal da pequena área de serviço. Troca pelo pijama listrado. Retira o band-aid e sai para tomar um pouco de ar.

Ao andar, sem destino, acaba fazendo o caminho inverso do trilhado na noite anterior. Agacha-se na sarjeta em que foi derrubado e identifica umas gotículas de seu sangue coaguladas no asfalto.

Segue até o metrô.

0221122409. Bobina de ignição. Havia muito ele não andava pelas ruas nesse horário, num dia de semana. Amparado na parede do metrô, começa um jogo. Cada moça ou mulher que passa ele classifica em duas categorias: comia ou casava. Naturalmente há aquelas que não se enquadram em nenhuma das opções. Comia. Comia. Casava. Comia. Comia. Comia. Nenhuma das alternativas. Comia. Comia. Comia. Casava. Mandava pra forca. Comia. Comia. Comia...

Passa uns quarenta minutos jogando, depois resolve tomar um café num bar. Toma um dos piores cafés da sua vida e acaba voltando para casa sem conseguir desfazer a careta que o café causou. Casa é qualquer lugar onde se vive.

4

O apartamento está vazio. O sofá sem os lençóis. Seu pai deve ter arrumado e dobrado. Reflete um pouco e resolve investigar o quarto de Bruna. Com cuidado, antes de entrar, faz uma vistoria para guardar a disposição de cada elemento. Uma cama estreita, um computador acomodado num móvel estranho, uma cadeira giratória, uma cômoda com quatro gavetas, um armário minúsculo, um espelho preso à parede repleta de prateleiras, à parede de verdade, feita de tijolos. Na divisória, a falsa parede, não há nada pendurado. Uma pilha de livros no chão. *Filosofia da arte*, Virgil C. Aldrich. *Arte e percepção visual*, Rudolf Arnheim. *Da cor à cor inexistente*, Israel Pedrosa. *História da arte*, Graça Proença. *A história da arte*, E. H. Gombrich. *Querida mamãe, obrigado por tudo*, Bradley Trevor Greive. Ao lado do computador uma agenda.

Júnior folheia com cuidado. 23 de janeiro: um bilhete de cinema colado à página. Sala 2. *Babel*. Legendado. Meia. Volte sempre. 9 de março, em letras tortuosas: 1. fauvismo/cubismo 2. futurismo 3. abstracionismo 4.

dadaísmo. 21 de fevereiro: *Borat*. 6 de fevereiro, ficha de inscrição, RG e CPF, comprovante de residência. Algumas linhas abaixo um nome: Paulo.

Fecha a agenda e abre a primeira gaveta da cômoda. Roupas íntimas. Pequenas calcinhas surradas e meias coloridas. Uma presença o assusta. Volta a cabeça lentamente e percebe um orifício na divisória de madeira. Um buraco um pouco maior do que deixaria um prego arrancado.

Seu coração dispara. Caminha até o aposento do pai. Abre o guarda-roupa. Defronta o olhar de Gardel. Com a unha retira o durex do canto superior esquerdo do pôster, por sinal o que retém menos cola. Aproxima o olho do pequeno observatório. O quarto de Bruna o invade.

Transferência de valores

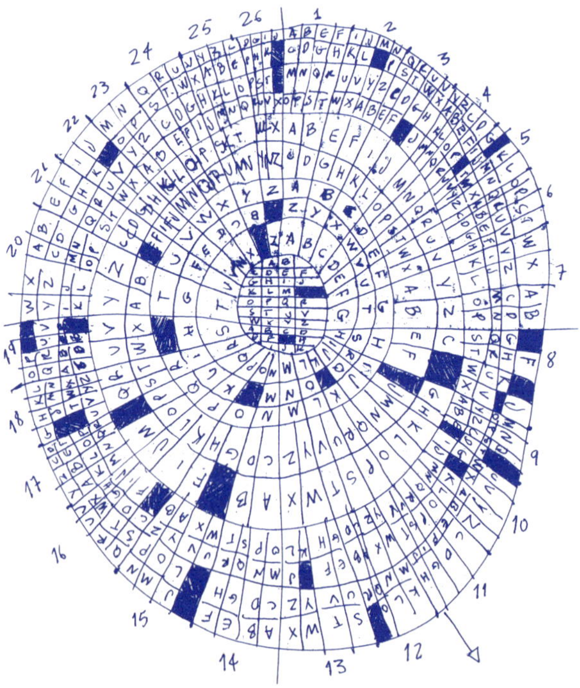

1

Júnior procura esticar as pernas, mas esbarra no braço do sofá. Por um minuto não sabe onde está, tateia ao redor buscando o corpo da esposa, mas suas mãos encontram o copo vazio que deixou na mesinha de centro. O copo cai e se multiplica numa série de lâminas afiadas. Acorda banhado de suor. O coração disparado, um aperto no peito. Descobre no relógio do videocassete que ainda é noite, ou que não é dia. Quatro e quarenta e quatro. Levanta para tomar água, ou para ter alguma sensação que o traga ao mundo dos vivos. Recolhe os cacos de vidro com as mãos. Percebe que elas tremem. Enrola os estilhaços num encarte promocional do supermercado Pão de Açúcar que está sobre a pia.

Fuma acocorado na área de serviço.

Procura absolver o pai dos pensamentos que o condenam. Uma enorme barata voadora pousa em suas costas, fazendo com que ele salte aflito e enojado. Este é o seu mundo, não dá para acordar mais do que isso. Esmaga a criatura com a pá de lixo. Fica impressionado, incomodado, com a sensação de que a barata continua nele. Vai ao banheiro e tenta ver as costas no espelho. Volta para o sofá. Pela fresta da porta da sala percebe que a luz do hall é acesa pelo sensor de movimento. Ouve passos. Aproxima-se, acovardado, do olho mágico. Há uma constante ameaça. O olho revela o mundo distorcido. Ouve a porta ser destravada e anda para trás. Uma silhueta surge na contraluz.

— Pô! Pai!

— Psiu! Fala baixo. E Popeye é o marido da Olívia Palito.

— Pô! O senhor quase me mata de susto.

— Foi sem querer.

— Onde o senhor estava?

— Eu tava na Lurdinha, jantei lá e peguei no sono vendo um filme na TV. E você?

— Eu perdi o sono.

— Também, dorme até tarde. Espera! Você está querendo que eu dê satisfação da minha vida? Você é o hóspede aqui! Além do quê, é você o filho... Eu é que pergunto: o que você faz acordado a esta hora?

— Ainda não me adaptei a minha nova rotina.

— E nem vai. Vou te arrumar um trabalho antes que você se acomode.

— Eu quero trabalhar, não pedi para ser demitido.

O pai não aceitaria o fato de ele haver abandonado o emprego.

— Vamos fazer um café?

— Não é muito cedo?

— São quase seis. Logo a Bruna vai estar de pé.

— Ainda não são nem cinco...

— Acredite em mim. Logo serão seis.

— Então, vamos.

O pai pega a lata de biscoitos cheia de ferrugem e pó de café e põe a água para ferver enquanto lava a cafeteira italiana. Júnior observa os gestos mecanizados do pai. Pensa no orifício do armário. Pensa que provavelmente o velho faça sexo com dona Lurdinha evocando as visões ocultas por Gardel. 0258986501. Sonda Lambda Universal. O velho assobia seu tema. Júnior observa o genitor desmascarado. Não sabe se o que sente é vergonha ou inveja. Sabe que, se seu filho precisasse de abrigo, cederia a própria cama, dormiria no sofá. Sênior parece mais forte que ele. Mais afortunado.

— Você já experimentou esses remedinhos novos?

— Hã?

— Viagra, Cialis?

— Não, pai. Nunca tomei.

— O negócio é incrível.

— Sei.

— O bicho sobe que sobe.

— Desculpe... pai... mas não acho isso legal...

— É legal, nem precisa de receita.

— Não... eu estou falando desse tipo de conversa... o senhor é meu pai...

— E não é isso que os pais devem fazer?

— Eu... não... eu não fico à vontade com esse tipo de assunto...

— Não é a função dos pais educar os filhos?

Talvez a medicina esteja transformando seu pai, ele pensa. Talvez seja isso que o esteja levando a fazer esse tipo de coisa: espiar, perfurar o fundo do armário e astutamente ocultar. Talvez o velho tenha os mesmos desejos sórdidos que ele. Julga de forma simplória o desejo. Não existe essa aura erótica na natureza. Não existe amor. Na natureza tudo se resume a função. Um buraco no fundo do armário é a vida querendo seguir.

— Eu não te falei, outro dia aconteceu uma coisa incrível comigo.

— O quê?

— Eu fui até o centro resolver umas coisas e um camarada me parou no viaduto do Chá e me perguntou: você não é o José Lopes Rodrigues? Eu falei: sou. Ele disse que estudou comigo no primário, acredita?

— Ele te reconheceu?

— É.

— E vocês não se viam desde o primário?

— Nunca mais nos vimos. Eu nem me lembro do cidadão. Chama-se Plínio. Disse que me reconheceu pelos olhos. De que outra forma daria para reconhecer alguém?

— Acho que ele quis dizer pelos *seus* olhos, pai.

— Claro. É só o que restou de mim depois de todos esses anos.

— Que incrível.

— Eu fiquei meio cabreiro. Deve ser uma tremenda bichona.

— Que é isso, pai?

— Porra! Lembrar de um menino sessenta anos depois?!

— Se o cara se lembrou do senhor, é porque o senhor é uma pessoa marcante. O senhor devia se orgulhar disso.

— Sai fora! Isso é coisa de pederasta. Vai saber o que o fulano pensa de mim. Imagina uma pessoa que você nem sabe da existência pensando em você durante sessenta anos? É horrível. Olha o café.

A recém-descoberta sexualidade do pai leva Júnior a reavaliar a imagem que tinha do velho. Um pensamento o excita, talvez ele tenha uma chance de ocupar o observatório do pai nessas suas ausências.

— Esse pó é um espetáculo.

— Está muito bom.
— Me arruma um cigarro.
— O senhor não tinha parado?
— Eu paro e desparo.
Os dois fumam em silêncio.
— Tem uma moça que mora no 21 que lê a mão e faz mapa astral.
— É?
— Acho que você devia ir lá. Tudo o que ela fala é batata.
— Eu não acredito nessas coisas, pai.
— Eu falei que você precisa acreditar?
— Eu não gosto dessas coisas.
— Só quero que você vá lá e ouça o que ela tem a dizer. É trinta reais. Eu pago.
— Mas... eu não...
— Ouve o que eu digo pelo menos uma vez na vida. Eu estou falando que eu banco a sessão.
— Tudo bem, pai. Eu vou.
— O nome dela é Miranda.
— Miranda. No 21.
— Eu acho que esse não é o nome dela de verdade. É, como dizem, um nome artístico.
— Por que o senhor acha isso?
— Não sei. Ela não tem cara de Miranda. Aliás, eu nunca conheci ninguém com esse nome. Isso é nome de artista. Você já conheceu alguém chamado Miranda?
— Não. Que eu me lembre, não.
— Tô falando. Isso é nome artístico. É pra dar um tchã.
— Miranda.
— Você está liso?
— Liso?
— É, porra! Sem dinheiro.
— Eu estou meio apertado. Por quê?
— Você precisa comprar roupas.

— Eu sei, acho que ainda tenho um saldo no cartão de crédito. Vou ver se parcelo.

— Aí em cima, na avenida, tem uma lojinha boa, não é cara e veste um homem da cabeça aos pés.

— Isso parece um comercial.

— Mas veste, caramba!

— Tá certo, pai.

— Chama Fidalgo.

— Eu dou um pulo lá.

— Bom, vou me recolher um pouco.

Claro. Está quase na hora de a Bruna levantar e ir para o banho. Velho safado. Dorme com uma, acorda com outra. Júnior toma outro copo de café e volta para o sofá. Mantém os ouvidos alertas, mas o silêncio, ou algo muito próximo disso, desarma sua consciência. Júnior dorme.

Acorda com o irritante som do despertador no quarto de Bruna. No mesmo momento a porta do armário do pai começa a ranger. Constrangido, Júnior cobre a cabeça com a almofada ensebada. Ainda assim percebe quando a porta do quarto de Bruna se abre e quando a do banheiro se fecha, segundos depois. 0132008601. Atuador de marcha. Imagina que essa deve ser a parte de maior expectativa. O momento da espera. Quando Bruna retorna ao quarto envolvida na toalha de banho e começa a secar seu pálido corpo. Ouve a descarga. Ouve o chuveiro sendo ligado. Sente algo em suas costas e salta temendo a barata. Não consegue enxergar. Pisa num caco do copo e cai sentado no sofá. É apenas uma lasca de vidro, mas dói. Não era barata, era só uma sensação. Consegue tirar a lasca de vidro. Bruna sai do banho, avista a silhueta de Júnior.

— Bom dia.

— Bom dia, Bruna.

— Você me assustou.

— Desculpe.

— Eu tinha me esquecido de você, quer dizer, que você está morando aqui.

— Por que não se troca no banheiro? É perigoso pegar uma corrente de ar...

— Porque não tenho onde deixar a roupa que vou vestir. Eu pedi pro seu pai comprar um daqueles ganchos que você pendura atrás da porta, mas ele nunca se lembra de comprar. Como chama aquilo?

— Acho que chama gancho mesmo. Pode deixar, eu vou providenciar isso pra você.

— Não. Deve ter um nome. Tudo tem um nome. Tudo o que existe.

— É verdade. Até o que não existe tem nome.

— Até o que não existe?

— É.

— Dá um exemplo.

— Dragão.

— Mas dizem que um dia existiu.

— Não, os dragões nunca existiram.

— Não gostei desse exemplo. Dê outro.

— A Medusa...

— Não, um exemplo de algo que não seja um ser mitológico.

— Deixa eu pensar...

Júnior não consegue trazer nada à mente.

— É melhor eu pôr a roupa antes que pegue essa tal corrente de ar.

Bruna fecha a porta. Sênior deve ter ficado ansioso com a demora. Deve ter ouvido os dois conversando. Esse pensamento traz um quase-sorriso ao rosto de Júnior. Agora ela deve ter largado a toalha. Júnior vai para a área de serviço. Numa das mãos o cigarro, na outra segura a pá de lixo, por precaução. Ela vai reclamar do cheiro do cigarro, mas Júnior precisava disso.

Ainda procura lembrar-se de algo que tenha nome e não exista.

2

Júnior caminha em direção ao metrô. Já saiu do prédio fazendo a loteria do comia × casava. Está carente e isso reduz drasticamente as que classificaria como destinadas à forca. Um pensamento o assombra. Será a tal cartomante mais uma das mulheres de seu pai? Mais uma vítima da libido ressuscitada pela medicina? Será a tal Miranda uma criatura capaz de ver o que está oculto? Será que essa vidente revelará seus segredos ao pai? Júnior também guarda segredos no armário. Teme que o pai desvende o motivo real de sua separação ou de seu desemprego. O motivo é o mesmo nos dois casos. Algo que Júnior se esforça em esquecer ou aceitar. 9122080381. Reparo do alternador. Júnior trabalhava na parte administrativa de uma distribuidora de autopeças. Uma fabriqueta que produz embalagens para kits automotivos. Marco é o dono, um amigo do ginásio. Os filhos dos dois cresceram juntos. Caio e Thiago. Caio, seu único filho, tem treze anos. Thiago, o amigo, quinze. Marco estava bem de vida. Ao menos para o padrão de Júnior. Carro do ano. Casa na praia. A última geração dos aparelhos eletrônicos. Separado, namora uma moça jovem e bonita. Caio sempre foi com eles à casa da praia. Dessa vez, Marco convidou toda a família para passar o Carnaval. A namorada de Marco viajou para Miami. Márcia, a mulher de Júnior, iria na frente com Caio, porque Júnior tinha uns balancetes para terminar. Depois Júnior se juntaria a eles. Thiago iria na frente também. Um adolescente. Seu corpo produzia hormônios. E os hormônios produziam reações que o menino não conseguia controlar. Um dia talvez controlasse esses impulsos. O fato é que, naquele momento, as reações se focavam em Márcia. A mãe do amigo. Por mais ousado e próximo dela que fosse, ela não era sua mãe. Tampouco a jovem namorada do pai.

Ela percebeu o interesse do garoto. Percebeu e se encheu de vaidade. Trinta e seis anos. Começou a retribuir o olhar com gestos provocantes, dissimulados. O menino ficou doido. A temperatura do jogo subiu. A vaidade se transformou em orgulho. A bebida a liberava. Era Carnaval. Márcia fazia de tudo para interpretar poses provocantes. Sempre que podia, se punha de quatro com seu minúsculo short para procurar coisas inexistentes que deveriam ter rolado para baixo do sofá. O menino já não conseguia disfarçar sua tara. A TV só trazia imagens de mulheres desnudas. Depois de jantar fora, foram dançar forró. Márcia dançou com as duas gerações de admiradores. Pôde sentir o pau duro do garoto e a meia bomba do pai.

Márcia atacou o menino quando voltaram para a casa. Esperou todos dormirem. Então deitou na cama do garoto. Ele estava acordado. O coração e o pau latejavam. Ela fez um carinho em suas coxas. Aconteceu ali mesmo. No quarto que Thiago dividia com Caio. Treparam no banheiro à noite, e no dia seguinte quando voltaram da praia. Na terceira vez, Marco desconfiou. Estavam cada vez mais febris e descuidados. Ouviu quando a porta do banheiro foi trancada. Procurou pelo filho na cama. Foi à sala, onde Márcia dormia. Grudou um ouvido na porta do banheiro. Esperou os dois terminarem. Quando abriram, tiveram uma surpresa. Marco deu uns tapas no filho. Tentou, mas não conseguiu se conter. Caio não havia percebido nada. Ao defrontar Marco, Márcia não sabia o que dizer. Apesar dos tapas foram todos deitar em silêncio. No dia seguinte, Marco anunciou que contaria ao amigo. Ele também queria. No fundo esse era seu plano quando marcou o tal balanço no Carnaval. Ele também reordenava o mundo em suas fantasias. Nunca imaginou que o filho iria mais longe e ainda mais rápido.

Quando Júnior chegou, o clima estava estranho. Pressionou a mulher. Suspeitava de Marco. Nem em sonhos desconfiou de Thiago. Por fim, Marco o chamou de canto e narrou a história. Júnior não conseguiu reagir. Júnior pedia que enterrassem o assunto. Seu filho não podia saber. Mas era tarde demais. Thiago já tinha dado com a língua nos dentes.

Com a mala que Márcia tinha feito para ele passar seus dias de férias, Júnior partiu. No início, sem saber para onde. Quando voltou para a cidade, vagou por um dia inteiro. Abatido, foi abordado por dois missionários mórmons. Eles se expressavam com dificuldade. Disseram ser de Utah, Salt Lake City. Júnior parecia ouvir com atenção, mas a equação interna era outra. Os jovens falaram sobre a Igreja de Jesus Cristo dos Santos dos Últimos Dias. Júnior meneava a cabeça e por isso ganhou O Livro de Mórmon. Os jovens de Utah fizeram uma orelha na página 618, onde havia uma passagem marcada com lápis vermelho. Livro de Morôni, 10:2-5:

2. E depois de vos dizer algumas palavras a título de exortação, selarei estes registros.

3. Eis que desejo exortar-vos, quando lerdes estas coisas, caso Deus julgue pru-

dente que as leiais, a vos lembrardes de quão misericordioso tem sido o Senhor para com os filhos dos homens, desde a criação de Adão até a hora em que receberdes estas coisas, e a meditardes sobre isto em vosso coração.
4. E quando receberdes estas coisas, eu vos exorto a perguntardes a Deus, o Pai Eterno, em nome de Cristo, se estas coisas não são verdadeiras; e se perguntardes com um coração sincero e com real intenção, tendo fé em Cristo, ele vos manifestará a verdade delas pelo poder do Espírito Santo.
5. E pelo poder do Espírito Santo podeis saber a verdade de todas as coisas.

Adormeceu numa praça. A mala serviu de travesseiro. Na mala provavelmente havia uma sunga, toalhas de banho, seu chinelo de dedos, um short e duas mudas de roupa. Duas trocas de meias e cuecas. Passou o resto do dia ali, entre mendigos e moças vestidas de training que corriam em círculos. Quando a noite chegou, resolveu caminhar até a estação de metrô. Seguiu para a casa do pai. Deixou tudo para trás. Não levou o velho Uno, nem deu um beijo no filho.

3

Comia. Casava. Comia. Comia. Comia. E se a tal Miranda enxergar tudo? E se Miranda contar para o pai? Júnior se viu traído por todos e ainda não pôde assimilar o golpe. Quer esquecer, ou melhor, perdoar. Perdoar sempre, esquecer jamais. 0124325115. Alternador bosch, código universal.

De repente, em cada detalhe, de tudo em sua vida começou a emanar um cheiro de sexo. Um forte cheiro de sexo.

Comia. Comia. Comia. Comia.

0130303203. Motor do radiador. No caminho de volta para a casa do pai, encontra a loja que veste um homem da cabeça aos pés. Entra. Quando a mocinha se aproxima para atendê-lo, Júnior sentencia: casava. Quatro cuecas moderninhas acinturadas com grosso elástico. Dois pares de meias felpadas cinza. Uma calça de sarja cáqui com vários bolsos. Duas camisas em tons de terra pastel. Um chapeuzinho de pescador do tipo que o Woody Allen usa quando quer sair disfarçado pelas ruas de Manhattan. Divide em três vezes. Jurando a si mesmo honrar o Citibank. Cruza os dedos até ler: aprovada. Caminha carregando, orgulhoso, as sacolas que guardam sua nova forma de vestir. Seu novo estilo. Ao passar pela rua da feira, decide comer um pastel de queijo e beber um caldo de cana. Depois faz boca de pito, como diria o pai, na padaria que possui máquina de café expresso. Compra cigarros e volta para o apartamento. É barrado na entrada. É a escala de outro porteiro. Provavelmente seria barrado mesmo se fosse o anterior.

4

A casa está vazia. A cama foi desfeita. Júnior se acomoda no sofá. 0580453453. Bomba de combustível. É inevitável a lembrança de Laika e assim adormece, guardado por uma fiel cadela que não existe mais. Sonha com a mãe, Olga, que chora segurando um livro.

— Que aconteceu, mãe? Por que a senhora está chorando?

Ela não responde. Levanta do que era uma poltrona e agora é um trono e começa a puxar os cabelos para cima. Cada vez mais forte, como se quisesse suspender os pés do chão. Júnior é um menino e vê a mãe contemplando os tufos de cabelos que tem nas mãos.

— A senhora não vai fazer o almoço?

— Cala a boca, moleque! Não vê que estou arrancando os cabelos?

Empapado de suor, arfa. Tenta, com dificuldade, respirar pela boca enquanto corre por um campo vazio. Uma cachorrinha postada de forma elegante no meio de uma clareira diz algo que ele não consegue entender. A mocinha que o atendeu na loja que veste um homem da cabeça aos pés é quem agora ocupa o trono.

— Aceito.

Num outro quadro a cachorrinha continua falando quando Júnior a alcança. Acomoda-se sob ela e mama em suas tetinhas. O leite tem gosto de fel.

— *Reipsa tomix viride planitius unitus* — repete a cachorra.

Acorda nauseado, sacudido pelas mãos do pai.

— Dormindo?

— Só estava tirando um cochilo.

— Você precisa reagir.

— Eu não dormi o tempo todo. Saí. Fui à loja de roupas, almocei na feira, dei uma passada no banco...

Não foi ao banco. Improvisou para ganhar o respeito do pai. O pai parece tentar ler algo que estaria escrito em sua testa.

— Que foi, pai?

— Nada. Por quê?

— O senhor está me olhando de um jeito estranho.

— Eu?

— É.

— Só pensei uma coisa.

— O quê?

— Nada. Me lembrei de uma coisa, só isso.

— O senhor me olhou de um modo muito estranho, como se tivesse algo na minha cara.

— O que você achou da loja?

— Que loja?

— A Fidalgo, porra!

— É muito boa.

— Não falei? Ah! Eu ia esquecendo: sabe com quem cruzei no elevador?

— Não.

— Com a tal da Miranda. Não é uma tremenda coincidência?

— Ela mora no prédio. Não vejo nada de mais nisso.

— Bom, eu falei de você e ela disse que pode ir quando quiser.

— É bom saber.

— A Lurdinha falou que na janta vai te mandar um prato.

— Não precisa, não quero dar trabalho.

— Pára de se fazer de coitado.

— Eu não estou me fazendo de coitado.

— Eu já estou mexendo meus pauzinhos, logo você estará empregado, você vai ver.

Júnior resolve tomar banho. Leva as sacolas para o banheiro e constata que não tem onde pendurá-las. Tenta prender a calça nova e uma das camisas na maçaneta. A calça se firma, a camisa não. O pai bate na porta.

— Vai demorar? Eu preciso fazer cocô.

Júnior abre a porta e sai carregando as compras amontoadas num bolo disforme.

— Pode usar. Não precisa dizer o que vai fazer.

— Só falei para você saber que é urgente. Dá licença.

Instalado no banheiro, o pai grita:

— Você precisa arrumar alguma coisa. Precisa ocupar sua cabeça. Está parecendo um velho. Cabeça vazia, oficina do diabo.

Júnior joga as roupas no sofá e sai. Desce pelas escadas, pois está fumando. Cruza a portaria e ganha a rua. Confere a carteira, restam quarenta reais.

Entra na padaria e pede um conhaque.

— Júnior?

— Mundinho?

— Porra! Quanto tempo, cara, faz uma cara que não te vejo, rapaz!

Júnior fica impressionado com a maneira como a vida transformou a aparência de Raimundo, seu colega dos tempos da escola. Júnior e a família sempre moraram nesse bairro. Em diferentes endereços, mas sempre no mesmo raio. Cursaram juntos os três anos do colegial. Velhos tempos em que Júnior queria ser hippie, fumava maconha e ouvia rock. Raimundo também era cabeludo. Sempre trazia algo novo para ele experimentar. Expandir as idéias. Abrir a mente. Liam *Porcos com asas*, um dos poucos livros que Júnior leu. Só lembra que tinha muitos palavrões. Nessa mesma época leu *A metamorfose*, de Kafka, e alguns contos de Machado de Assis. Depois disso, só jornal e relatórios de autopeças. Foi uma fase, coisa de adolescente. Júnior acabou tendo uma bad trip quando tomou um frasco de cloridrato de diciclomina antiespasmódico, Bentyl. 0986450144. Filtro da injeção. Depois provou um chá de cogumelos. Levou uma semana para voltar. Sofreu alucinações violentas e perturbadoras. Nunca mais se envolveu com narcóticos.

Com o irmão foi diferente. Foi Júnior quem lhe apresentou o primeiro baseado. Pedro era compulsivo. Avançou e dobrou a tal curva de que os usuários tanto falam. Pedro se meteu com coca e terminou no crack. Roubava dos pais. Roubava toca-fitas. Foi expulso de casa. Foi morar nas ruas. Foi preso por tráfico. Matou a mãe de desgosto. A mãe vinha lutando contra um câncer no seio. Parecia que iria vencê-lo. Hoje, quando Pedro manda notícias, só o pai lê. Júnior apagou o irmão da memória. Como pretende fazer agora com a mulher e o filho. Cansou de sofrer. As cartas de Pedro são sempre cheias de amargura e rancor. Sempre o mesmo jogo, sempre a mesma chantagem emocional. Quando o pai as oferta, Júnior diz que não quer saber. Sênior as lê. Várias vezes. Lê e faz o jogo. Chora escondido. Depois as acomoda na gaveta no abraço de um elástico, testando até onde ele agüenta antes de romper.

Raimundo veste uma camiseta puída estampada com a logomarca de uma fábrica de tintas. Está muito magro, a cara chupada e uma imensa barriga inchada. Careca. Mas mantém a velha ginga e os trejeitos de jovem malandro. Oferece uma chance para Júnior dar uma virada.

— Quer fazer uma fezinha?

— Não. Estou sem palpite.

— Me diz o que tu sonhou.

— Não lembro.

— Cara, eu tenho um bagulho que vai expandir suas idéias.

— Cara, se eu expandir minhas idéias, vou precisar de mais uma cabeça.

— Boa!

— Quer beber alguma coisa?

— Nem. Tou às pampas. Você tá parecendo um bacana. Se deu bem, hein, meu irmão?

— Pode crer. Preciso ir, tenho uma reunião importante.

— Vai fundo, meu camarada.

Júnior esvazia o copo numa golada. Percebe o olhar venenoso do antigo parceiro de escola. Dá um tapa em seu ombro e corre para a casa do pai. Mundinho agora presta pequenos serviços à comunidade. Faz o jogo do bicho e vende maconha.

5

Para sua surpresa, Bruna está em casa. Faz um desenho na mesa da cozinha. Trabalho da escola. O pai deve estar na Lurdinha. Bruna prendeu os cabelos. Tenta reproduzir uma pobre cesta de frutas que está na sua frente. Uma penca, desfalcada, de bananas, duas laranjas em início de decomposição e uma maçã murcha.

Júnior se aproxima para ver o desenho. Feito a carvão. Bruna usa um bastão de papel para ajudar os efeitos do sombreado. Um bastão e a ponta dos dedos.

— Bonito.

— Obrigada.

— Você desenha bem. Eu não sei fazer nem uma casinha.

— Eu acho que eu tenho dom.

Dom? Dádiva? Júnior filosofa. Deus fica presenteando certos eleitos com suas dádivas e deixa de dar atenção aos outros. Sentado em sua nuvem, escolhe seus escolhidos. Alguns serão bons desenhistas, outros sofrerão moléstias infernais. O filósofo Júnior se lembra das canções de Atahualpa que tocavam nos velhos discos do pai. Atahualpa questiona a existência de Deus: *Se Deus existe? Talvez sim, talvez não, mas uma coisa é certa: ele almoça na mesa do patrão.*

1234211019. Bobina impulsora do distribuidor.

Uma idéia ilumina seu rosto. Uma solução. Júnior procura dissimular.

— Por que você não bota esse desenho num quadro?

— Emoldurar?

— É. Ele está tão bonito que você devia pendurar na parede do quarto.

— Nem me fala uma coisa dessas.

— E por que não?

— Eu fui pendurar um pôster de uma banda que eu gosto e não

sabia que aquela parede é de madeira. Acabei fazendo um rombo no quarto do seu pai. Pra minha sorte, furou só o fundo do armário, mas ele ficou puto.

6

Júnior acorda e manifesta sua série de espirros. A casa parece vazia. Júnior joga o jogo de adivinhação. Procura identificar os sons que se espalham pelo edifício. Aspirador de pó. Furadeira. O poodle esquizofrênico que late sem parar. Por sorte, está muitos andares abaixo, ou acima. É difícil dizer. Os passos com salto alto o excitam. O velho que tosse. A empregadinha que cantarola música sertaneja. Móveis são arrastados. Agora muda de jogo. Procura relacionar, de cabeça, os seres das planilhas em ordem alfabética. Alternador. Amortecedor. Anel de rolamento. Anel de vedação. Automático. Bobina da injeção. Bobina da partida. Bobina de campo do dínamo. Bobina de ignição. Bomba de combustível. Estator, não, escova do alternador... Farol... Levanta na esperança de encontrar um resto de café na garrafa térmica. Não há. Põe para fazer. Ferve água para escaldar a garrafa. É gás encanado. Ele não está acostumado com isso. Fica aflito com a demora. Embora seja mais tranqüilo assim. Não é preciso trocar o botijão. Ele suava frio ao fazê-lo. Sempre havia um risco. A eterna ameaça. Cabo de ligação do distribuidor. Cabo de vela... Não tem certeza de que dia é hoje. Olha na folhinha que traz estampado o papa alemão. Então ela deu para o menino? Quando Júnior era moço, a mãe de um amigo também o provocava. Júnior era tarado por ela, mas resolvia sua tara em punhetas. Transformava o desejo em cansaço. Uma vez ele viajou com o amigo e a família do amigo. Uma vez, não... várias. Numa dessas faltou luz. Ele saiu de toalha na escuridão da casa. Na penumbra, a mãe do amigo acariciou o seu pau, mas Júnior fugiu do assédio. Thiago, não. Teve mais coragem e menos brio. O café está coado. Júnior serve a si mesmo. Vê a cena em detalhes. Sua mulher fodendo o amiguinho do filho. Garfo da partida. Haste de recuperação. Impulsor. Induzido. Acende um cigarro. Toma outro café.

A lápide azul

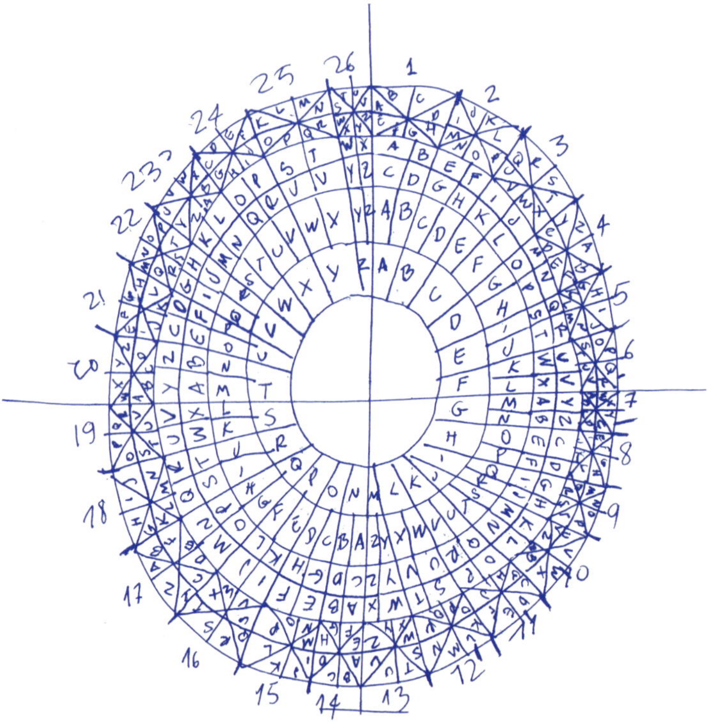

1

No momento, Júnior não é o tipo de pessoa que acredita no futuro, mesmo assim vai à cartomante. Miranda é uma balzaquiana sobre quem o veredicto é: comia. Suas mãos têm um aspecto rude. Provavelmente de tanto lavar, passar e esfregar. Mas o toque é delicado. Nas mãos de Júnior ela vê planetas. Saturno, Júpiter, Mercúrio e Vênus. Lugares tão distantes e tão próximos. Tão reais e tão fictícios.

Evoca temperamentos. Bilioso, sanguíneo-bilioso.

Descreve Júnior como ele gostaria de ser.

Vê vida longa e próspera.

Fortuna e amores plenos.

Miranda tem uma pegada leve e carinhosa. Suas mãos são mornas e úmidas, como uma vagina. É só isso que falta no momento para Júnior empurrar a vida para a frente. Ela oferta um decote generoso.

Perdido nos imensos e flácidos seios, Júnior mal ouve o que o futuro guarda para ele. Os seios o alimentam.

— Sabe o que seria interessante?

— Como?

— Fazer o seu mapa.

Realmente um mapa poderia ser útil. Talvez indicasse um caminho.

— Mapa?

— É, o seu mapa astral.

— Sei.

— Que dia você nasceu?

— Eu? Nasci no dia 18.

— Eu preciso saber o mês e o ano.

— Abril de 1964.

— Você sabe a hora?

Júnior olha para o cuco na parede.

— São duas e quinze.

— Não, a hora do seu nascimento.

— Não sei, mas posso perguntar para o meu pai.

— Faça isso. Eu vejo que algo incrível está para acontecer em sua vida, mas só com a leitura das mãos não consigo ser mais específica. O mapa pode revelar detalhes.

Num movimento sutil Júnior pode vislumbrar um detalhe da aréola do seio direito de Miranda. Não é rosada, é escura. Marrom.

— Então pode ver isso pra mim?

— Posso?

— Não sei. É o que estou perguntando. Pode?

— O quê?

— Conseguir a hora de seu nascimento, uai?

— Claro. Vou falar com o meu pai.

— Pergunte e depois volte.

— Hoje?

— Não, não precisa ser hoje.

— Está bem.

Júnior sobe os lances de escada como quem escala uma enorme montanha. Precisa fumar menos, beber menos, comer menos. Corpo são em um mundo enfermo. A máxima dos nossos dias: o importante é morrer com saúde. 2003050056. Haste de recuperação para partida KB. O pai não está lá para saber o seu futuro. Júnior se instala em seu leito. Ouve os ruídos que ecoam pelo prédio. Procura identificá-los. O jogo. Uma brincadeira. Um passatempo. Alguém dá a descarga. O velho tosse. Por descuido, ou com propósito, algo de vidro estilhaça. Aspirador. Uma pequena reforma, martelam.

2

Toca o interfone. Ele atende.

— Seu Júnior.

Parece que o porteiro aprendeu.

— Fala.

— Tem um *sedec* para o seu pai. Ele está?

— Um o quê?

— Um *sedec.*

Para o porteiro qualquer coisa que venha pelo correio e não esteja num envelope é *sedec.*

— *Sedec*?

— É. Tem um *sedec* pro seu pai aqui.

— Ah! Sedex!

— E o que foi que eu falei? *Sedec.*

Júnior desce e apanha o pacote. Não é um Sedex, é apenas um pacote. O pacote não revela o remetente. Para sua surpresa descobre que o embrulho é para ele e não para Sênior. Há um Jr. após o nome. José Lopes Rodrigues Jr. Volta para o apartamento. Por um tempo apenas analisa o pacote. E se for uma bomba?, pensa. Sem ter muito a perder, resolve abrir. É uma caixa de sapato. Dentro há um pedaço de tecido, um veludo vermelho com cerca de quinze centímetros de comprimento e dez de largura. Ou seria o contrário? Três CDs. Gravações caseiras. Um velho e amarelado recorte de jornal. Apenas a cabeça de uma matéria sobre um fato ocorrido na Cidade do México.

Daily News, Saturday, September 8, 1951

HEIR'S PISTOL KILLS HIS WIFE;
HE DENIES PLAYING WM. TELL

Júnior não é bom no inglês. Não entende. Não entende o pedaço de tecido. A cabeça dói. Apanha uma aspirina no armário da cozinha e deixa que ela se dissolva num copo de água gelada. Precisa pedir para usar o computador da Bruna para descobrir o que há nos CDs.

Intrigado, relê o cabeçalho.

Procura na parte de baixo da estante o velho dicionário da *Barsa.* Encontra. Leva o recorte para a mesa da cozinha. Recorda as aulas da mãe. Sente-se o próprio Champollion diante de seu negro bloco de granito. Inicia a decifração. Não encontrando *heir's*, supõe que seja o mesmo que *heir*, e isso revela: herdeiro, sucessor. Sai em busca de papel e caneta.

Há na sala um vaso onde o pai guarda canetas e outros pequenos objetos estranhos ou perdidos. Apanha uma esferográfica azul e no quarto de Bruna pega uma folha na impressora. Acomoda-se na mesa da cozinha e percebe que a caneta não escreve. Repete o movimento da mesa ao vaso cinco vezes. Desiste. Nenhuma caneta escreve. Volta para o quarto de Bruna e começa a vasculhar suas coisas. Encontra um bonito lápis de corpo amarelo. Anota: herdeiro. Localiza *pistol*, que, como supunha, é pistola. *Kill* ele sabe o que é. Compreende que se trata de uma matéria policial. Falamos de um assassino, ou do filho de um assassino. Assim segue até alcançar sua própria tradução:

Herdeiro de Pistola Mata sua Mulher; Ele Nega Jogar Wm Dizer

A tradução só aumenta a dor de cabeça. Que diabos seria Wm? Nem o dicionário sabe. Que raio de pistola é essa que o assassino herdou? Mesmo com a dor no estômago causada pela aspirina, ele joga mais uma para efervescer no mesmo copo e completa com água gelada. Júnior só bebe água gelada.

Herdeiro Mata a Esposa com Pistola; Nega Jogar Wm Diz

Procura refinar a tradução.

Por que alguém lhe mandaria essas coisas? Quem? Herdeiro de quê? O que é uma partida de Wm?

Inevitavelmente, adormece.

Ali mesmo, na cozinha. Usando a velha *Barsa* de travesseiro.

O sono da depressão.

A luz da cozinha vai borrando como o sombreado de um desenho.

Júnior feito sonâmbulo se arrasta até o sofá e desaba.

Anoitece.

0451103322. Filtro de óleo.

3

O pai entra carregando um prato coberto por uma lâmina de papel-alumínio.

— Acorda pra cuspir! — grita, ao ver o filho inconsciente.

— Pai?

— Olha aqui.

— Ela fez aquelas sardinhas fritas que eu te falei, estão uma delícia. Tem arroz, feijão e tomate.

— Obrigado, pai.

— Tem bacon no feijão, está uma delícia.

— Obrigado.

— Se comer agora, nem precisa botar no microondas.

— Vou comer, vou comer agora. Que horas são?

— Oito e vinte. Eu te faço companhia.

— Não precisa, pode ir assistir ao jornal.

— Você não se importa?

— Não, pai. Pode ir.

Júnior carrega o prato para a cozinha. Esconde o pacote-*sedec* sob a mesa. Toca a sardinha com a ponta do indicador e percebe que não dá para comer sem esquentar.

A sardinha engordura seu dedo.

O microondas está cheio de formigas e restos de comida colados nas paredes internas.

Grita:

— Quanto tempo, pai?

— Bota um minuto.

Júnior retira o papel-alumínio e observa o prato rodar durante um longo minuto. Retira o prato e o acomoda no lugar onde Bruna desenhou e ele fez traduções.

Surpreende-se ao ver as formigas com vida.

Pega a jarra de água e serve um copo.

Come enquanto suspira.

O interfone toca.

O pai entra correndo na cozinha para atender.

— Vamos. Estou subindo.

O velho esfrega as mãos.

— Vou até o bingo com a Lurdinha e a nossa turma.

A terceira idade. A velharada agora anda em bando. Tem desconto no cinema e no teatro, mas prefere o bingo. Júnior não tem afeição pelos velhos. Acha que se aproveitam dos benefícios que lhes concederam para desfrutar seus últimos dias. Odeia quando um deles passa na sua frente na fila do banco. Odeia a dificuldade de pegar o ônibus cheio de cabeças brancas que se aglomeram na porta de entrada. Odeia vê-los dançando nos bailes em vez de ficarem em casa cuidando dos netos. Odeia vê-los gastando o parco patrimônio no bingo quando poderiam ajudar a amenizar a miséria dos filhos. O ódio é sempre pessoal.

A comida aquecida no microondas esfria na mesma velocidade em que aquece. O pai continua falando, eufórico, mas Júnior não ouve. Chega a levar um susto quando o velho beija seu rosto dizendo que volta tarde. Júnior agora brinca de um novo jogo mental. Fantasia de forma minuciosa a execução de todos os que o traíram enquanto mastiga a sardinha com cuidado. Atento às espinhas. Há sempre uma ameaça. Pensa em levá-los a um sítio afastado, um local que só existe em sua mente, e mantê-los amarrados para que possa fazer tudo o que a força de um covarde faz quando tem a sua mercê criaturas indefesas. Seus planos são interrompidos quando ouve a porta da sala. Bruna invade a cozinha. Parece alegre. Beija seu rosto como quem cumprimenta um amigo. 0280161043. Amortecedor de pressão. Júnior fica sem graça. Envaidecido. Ela nunca o havia beijado.

— Tem alguma coisa pra comer? Eu estou morta de fome.

— Puxa. Meu pai trouxe um prato e eu nem pensei em dividir. Acabei de comer. Me desculpa.

— Imagina. Eu me viro.

Bruna vasculha a geladeira. Apanha uns ovos e o resto de um queijo meia-cura ressequido. Bate os ovos num prato de vidro escuro. Adiciona pedaços do queijo, sal e salsinha. Joga tudo na frigideira. Júnior observa sua bunda, aproveitando que ela deu as costas. Acaricia suavemente o rosto que ela beijou. Bruna apanha a jarra de água na geladeira, mas, quando vai servir, pára. Retém por um segundo a garrafa nas mãos, depois torna a guardá-la. Serve-se de água do filtro de barro. Bruna se instala na mesa e come com vontade.

— Quer?

— Não, obrigado. Acabei de comer.

— Cadê o seu Zé?

— Foi ao bingo.

— Hum.

— Não teve aula?

— Eu estava morta. Fugi.

— Onde você trabalha?

— Na Tifanelli. Uma loja que vende bolsas para madames e malas de couro para executivos. Conhece?

— Acho que sei.

— Trabalho só meio período.

— E onde fica a loja?

— No centro.

— E abre tão cedo?

— Eu abro a loja. Tenho que chegar cedo, mas só abre às oito para o público. É que eu tenho que pendurar todo o jogo de malas na parte de fora.

— E sua família?

— É do interior. De Avaré.

Bruna começa a emitir uma melodia. Canta pelo nariz enquanto come. A cada garfada fecha os olhos, buscando acentuar o paladar. Júnior parece estar num encontro. Orgulhoso como se ela o tivesse convidado para um jantar a dois. Aproveita os olhos cerrados para contemplar a beleza da jovem. A delicadeza de seu rosto.

Bruna termina a ceia, suspira e ri.

— Dá licença.

— Toda.

Bruna levanta, larga o prato na pia e vai para o quarto.

Júnior permanece sentado, tomando coragem para ir espiar. Caminha com o cuidado de um animal que vai abater a presa. Quando se prepara para invadir o quarto do pai, é surpreendido pela porta do quarto de Bruna, que se abre num repente. Bruna surge carregando um papel enrolado.

— Olha, pra você.

— Pra mim? — Surpreso, Júnior desenrola a natureza-morta.

— Você gostou tanto.

Desarmado, Júnior agradece cabisbaixo. Profundamente comovido e emocionado. Bruna percebe o impacto que o presente causou, mas o atribui mentalmente à força de sua arte. Júnior se instala no sofá e admira a primeira peça de sua coleção particular. Está tudo lá. As frutas não vão mais perecer. Sente que Bruna não teria esse gesto tão nobre se ele não fosse, de alguma forma, digno de um ato de tamanha generosidade e desprendimento. Bruna retorna ao quarto, mas dessa vez não fecha a porta. Júnior procura ocultar junto às nódoas do sofá as marcas que suas lágrimas deixam. Infelizmente as lágrimas não mancham o tecido. Não têm cheiro.

4

Júnior dorme e acorda. Acorda para voltar a dormir. Não há ninguém em casa. 0192033004. Regulador alternador. Não consegue evitar uma imagem que sempre o invade. Sua mulher e o menino. Sua ex-mulher e o ex-menino. Por um segundo, um vislumbre ainda mais terrível surge como um flash. Um átimo. Vê a mulher fodendo o filho. O próprio filho. Márcia e Caio. A imagem rouba seu fôlego. Faz o coração disparar. Produz suor excessivo. Descontrole. Júnior anda pelo apartamento. Procura distrair a mente, mas a imagem o invade. Todas as coisas externas se transformam, internamente, em palavras. Mesa-mesa, chão-chão, parede-parede, quadro-quadro. Tudo se justapõe à cena que ele não consegue apagar. Apanha seu único bem, frutas a carvão. Putrefação suspensa. A imagem gerada por Bruna é muito mais bela. Tranqüilizadora. Celeste. Talvez seja mesmo um dom. O dom de fazer o belo. O dom de dividir. Mas não consegue ocultar a outra imagem. O quadro que nem chegou a ver. Márcia e Thiago transando. De qualquer forma a imagem existe em sua mente como se fosse real. Tão real quanto uma lembrança. Um dia Júnior esquecerá essa natureza-morta. Dificilmente poderá esquecer a outra. A que nunca viu. Natureza latente.

Júnior resolve tomar um pouco de ar. Desce de escada porque sempre está fumando. Cruza com o porteiro Nuno. Divisa a fronteira do portão. Nunca o impedem de sair. A rua está estranhamente deserta. Coberta por uma névoa. Júnior faz seu trajeto. O de sempre. Onde seu sangue se fundiu com o asfalto. Ruma para o metrô. Só para ver as mulheres passarem. No caminho avista um velho negro, muito bem-vestido, com um sorriso nos lábios e os olhos embotados. O velho está parado. Olha para algo ou para alguém que não está lá. Algo ou alguém que provavelmente não existe mais. Talvez nunca tenha existido. Algo ou alguém que, mesmo sem existir, deve ter um nome. Estranhamente a cena traz a lembrança do filho brincando. Lembra que seu filho usava uma expressão engraçada nas aventuras que fazia com seus homenzinhos. Lápide azul? Era isso? Não consegue ter certeza. Lembra da noite em que acordou aos gritos dizendo: eu sou o rei soberbo. Quem gritou isso? Ele ou o filho? Não tem certeza se era ele quando menino, ou se era o menino que ainda é menino. Fosse quem fosse, nao conhecia o sentido daquela palavra. *Soberbo*. Sua mãe explicou que era alguém grandioso, majestoso. A mãe ou a mãe do seu filho? *Majestoso* era outra palavra que ele não sabia o que significava. Era ele de fato. Ele sonhou e acordou gritando ser rei.

Quando Júnior passa em frente a uma loja, que está fechada como todas as outras, o alarme dispara. Desconcertante. Antinatural. Um ruído ininterrupto. Monótono. Provavelmente alguém tentou roubá-la. Ou o alarme disparou por causa da súbita mudança climática. De qualquer forma Júnior apressa o passo. Não quer ser o suspeito.

O botequim que serve o pior café da cidade está aberto. Júnior pede um conhaque. Há outro náufrago a dois assentos, bebendo cachaça. Há tanta amargura no rosto dele que Júnior procura puxar papo.

— Dia estranho, não é mesmo?

— Como?

— Dia estranho.

— Todo dia é estranho.

— Não. Hoje... essa névoa... as ruas desertas...

— Pra mim, todo dia é estranho. Eles nunca me convencem.

— Quem não te convence?

— Os dias... são falsos... estranhos... isso não pode ser a realidade... não é possível que seja... isso é... sei lá que porra é isso tudo.

— Talvez...

— Sabe? Eu descobri como funciona esse esquema.

— Ah, é?

— Você já viu aquele *planetinha* daquele livro do Pequeno Príncipe?

— Sei, acho que me lembro.

O outro faz um gesto com as mãos formando uma esfera no ar.

— É um *planetinha*, pequeno... Tem uma flor e acho que uma casinha... É assim.

Diz isso projetando a pequena esfera na direção de Júnior.

— Sei, sei...

— É isso, porra! É isso...

— Entendo.

— Entende, nada. Entende?!

O outro faz um gesto de desprezo que desmancha a esfera.

— Eles botaram a gente aqui.

— Claro...

— Deus botou a gente nesse *planetinha* do caralho. Do caralho do Pequeno Príncipe. Aí ele falou: *Meu amigo, tudo isso é seu. Tem ali uma plantinha de merda que dá um fruto gostoso. Ali tem uma vaquinha de bosta que dá leite. E tem trigo pra fazer pão*. Até aí tudo bem, não é?

— É tudo o que precisamos...

— É. Mas aí ele mostra um buraco na terra. Um buraco feito uma cova.

— Certo...

— Então ele diz: *Tudo isso é seu. E ainda vou te mandar uma mulher e umas crianças...* Isso eu acho que é só pra encher o nosso saco e distrair a gente dessa merda toda. Assim não sacamos o esquema, tá ligado?

— E qual é o esquema?

— Posso continuar?

— Claro.

— Então faz favor de não ficar me interrompendo. Bom! Aí Deus explica o esquema. Ele diz: *Meu filho, tudo isso é seu. A única coisa que você precisa fazer é tapar aquele buraco.* A tal cova que eu te falei.

— Sei.

— Pois então. Cada vez que esse homenzinho tapa a porra do buraco, acaba fazendo outro do mesmo tamanho. Percebe?

— Entendo.

— Então. É isso. É isso sem fim. Tapa um buraco, faz outro igual. Tapa um, faz outro. Até o dia em que o infeliz morre. Só assim você pode tapar o buraco sem fazer outro igual. O buraco é sob medida.

— Legal.

— Porra! Legal, o caralho!

— A história, quis dizer.

— Ou seja, é pau no teu cu. Percebe? É isso. Pra Deus nós somos apenas os que podem tapar o buraco que ele não conseguiu tapar. Entende? É como na obra. Se falta areia, cê não faz parede. Não adianta tijolo, nem cimento. Eu acho que Deus errou nos cálculos. Aí, como já estava de saco cheio, inventou a gente. Tipo umas formigas. Uns formigões. Sacou?

— Tem até aquela música que diz mais ou menos isso. Como é mesmo? Ah! — Júnior cantarola: — *Essa é a terra que queria ver dividida, é a terra que te cabe nesse latifúndio...*

— Não tem nada a ver. Isso é política. Política! E nós estamos falando de religião. Religião!

— Está certo...

— Percebe?

— Claro.

— Uns formigão do cacete!

Júnior termina a bebida. O filósofo não pára mais de falar.

— Bom, meu amigo, eu vou nessa.

— Vai, formigão, vai que vai!

Júnior caminha pela rua nebulosa.

O elegante velho negro continua no mesmo lugar.

Ao chegar em casa, encontra o pai.

Parece abatido.

Contempla a TV.

Assistindo ao *Fantástico*.

5

Outra noite. Outra noite de bingo. 6033AD1104. Induzido da partida. Já passa das onze quando Bruna chega. Júnior precisa de um cigarro, mas voltou a temer a barata. O vício é sempre mais forte. Fuma próximo ao vitrô, com a pá de lixo à vista.

Ouve o mendigo que grita na rua.

Não consegue distinguir suas palavras.

As mãos de Júnior tremem.

Bruna invade a área.

— Oi.

— Oi.

— Cadê o seu Zé?

— Saiu. Foi ao bingo.

— Bingo!

Bruna vasculha a geladeira. Ovos e queijo. Omelete. Júnior percebe que ela repete aquele estranho movimento. Pega um copo e apanha a jarra de água na geladeira. Quando vai se servir, congela o movimento. Recua. Devolve a jarra e enche o copo com água do filtro.

— Por que você sempre faz isso?

— Isso o quê?

— Você pega a água gelada e depois parece que se arrepende.

— É que eu estou ruim da garganta. E sempre me esqueço.

— Ah! Claro.

— Quer comer?

— Não, obrigado. Já jantei.

— Vou aproveitar que o seu Zé não está e vou comer na sala. Adoro comer assistindo TV, mas ele não gosta que a gente coma na sala.

— É? Não sabia.

Bruna carrega o prato para a sala. Júnior termina o cigarro e arremessa a bituca pela fresta do vitrô. Vai para o seu sofá como quem não quer nada.

Bruna assiste a um desses programas de fofoca.

— Você viu? Eles já se separaram. Acho que não ficaram nem um ano casados. Também, todo mundo diz que ele é gay.

— Ele é gay? Será?

— É o que dizem.

Bruna reage a cada fofoca. Júnior nunca foi de assistir muita TV.

A maioria das pessoas que os apresentadores difamam ele não sabe quem é.

— Você já viu o tamanho da casa dessa mulher?

— Não sei... acho que já.

— Aquilo não é uma casa, é um palácio.

— Nossa... sem dúvida...

— Será que o seu pai vai demorar?

— Bingo. Ele sempre demora.

— Você se importa que eu fume um baseado?

— Eu?

— É. Só pra relaxar.

— Pode fumar.

— Você sabe enrolar?

— Eu já fui bom nisso, mas faz muito tempo.

— Seu pai me falou que você teve problemas com droga.

— Não fui eu, foi meu irmão.

— Ai! Que furo.

— Eu usava quando era garoto, mas não cheguei a ter problemas.

— Eu estou na fissura, mas não sei enrolar direito.

— Deixa comigo.

— Enquanto você enrola, eu vou buscar um incenso. Mas é melhor a gente ir para a área.

— Claro. Vamos lá.

Júnior nunca foi bom nisso. Enquanto tenta, percebe que piorou. O cigarro vai ficando cada vez mais disforme. Não consegue selar. Na tentativa, lambe, chupa, mete na boca. O baseado já tem mais saliva que THC. Júnior passa o jererê, como diria em seu tempo de jovem, na blusa para tentar secar um pouco. Bruna volta trazendo um incenso fedorento.

Ela enfia o cigarro gosmento na boca, parece não perceber a lambança. Acende e dá uma longa série de tragadas profundas. Retém a fumaça nos pulmões por um bom tempo. Depois solta. Fala enquanto exala a fumaça. Feito um dragão.

— Eu pensei que era você que estava preso.

— Não, é o meu irmão.

— Eu pensei que você estava aqui porque tinha saído da cadeia e não tinha para onde ir.

— Eu realmente não tenho para onde ir. E de certa forma acabei de deixar uma prisão.

— Como assim?

— O casamento.

Bruna demora um pouco a entender. Quando entende, desata a rir. Não consegue parar. Como se fosse a piada mais engraçada e original que já ouviu. Então, ela estende o baseado para ele. Ele pega, não sabe o que fazer. Dá um tapa para não fazer feio.

— Então você foi casado...

Ela diz isso como se fosse uma coisa extraordinária. Como se Júnior fosse um monstro ou um padre.

— Só. Pode crer. — Júnior procura demonstrar que é malandro, retendo o ar nos pulmões.

— Você tem filhos?

— Um menino. Pode crer.

— Quantos anos?

— Treze. Não, doze! Não. É treze mesmo.

— Nossa! Já é grande.

Quando Bruna vai pegar o baseado, toca sua mão e se espanta com a frieza.

— Nossa! Que mão fria.

— Quando eu era vivo, ela era mais quente. — Júnior dá outro pega.

Quando ela entende a piada, desata a rir numa nova série de gargalhadas. Feito uma foca.

— "Quando eu era vivo"... ha ha ha...

— Pode crer.

Ela toma a mão direita de Júnior entre as suas e, com a guimba na boca, esfrega para tentar aquecê-la, ou reavivá-lo.

— E por que acabou?

— O quê?

— O casamento.

— Eu cavei um túnel e fugi.

Mais uma pausa e depois a risada.

— "Cavei um túnel." Essa é ótima!

— É.

— Você posaria pra mim?

— Como assim?

— Posso fazer seu retrato? Eu adoro desenhar quando estou chapada.

— Me desenhar?

— É.

— Pode.

Ela fica por um segundo alheia, depois diz:

— Senta ali na mesa da cozinha, vou buscar o material.

Júnior se acomoda. Procura corrigir a postura. Sua em profusão. Faz uma noite quente e abafada, e Júnior anda com os nervos fora de controle. Os nervos, os músculos e o coração. As frias mãos tremem. As imagens em sua mente causam vertigem. O baseado traz lapsos. Ausências. Os pensamentos são desconexos. Bruna volta com um bloco de papel Fabriano para croquis. Pega o fino cilindro de carvão e risca a folha enquanto olha fixamente para Júnior. A cena parece se repetir. Bruna volta com um bloco de papel. Seus traços vão ocupando o espaço em branco. Bruna tem a mão firme e rápida. Com o canto do dedo mínimo esfumaça o traço, criando o efeito do sombreado. O nariz de Júnior parece maior do que ele vê no espelho. Seus olhos, mais expressivos. Um olhar mais forte e viril. Deve ser assim que ela me vê. Equaciona. O cheiro do incenso embrulha seu estômago, deixando-o ainda mais nauseado. Bruna arranca bruscamente a folha e a joga no chão. Semicerra os olhos e a contempla. Depois a apanha e coloca debaixo do bloco. Numa nova folha começa a esboçar outro retrato.

A música de uma velha série de televisão começa a ecoar. Vem do quarto dela.

— Meu celular.

Bruna corre para atender. Júnior procura manter a pose. Aguarda, como se fosse ele o retrato. Ouve as risadas. Não consegue distinguir as palavras, mas percebe um tom sedutor na voz da jovem. Deve ser o Paulo da agenda. Maquina. Bruna cerra a porta. F000AL1014. Reparo do garfo da partida. Devem estar rindo de mim. Júnior permanece na pose até cansar. Percebe que ela não volta. Com certeza estão rindo de mim. Deixei o palhaço lá feito uma estátua. Puxa o desenho que está sob o bloco. A cena se repete. Puxa o desenho que está sob o bloco. Delay. Era mais parecido de cabeça pra baixo. Ouve os gritos do mendigo lá fora, mas não consegue distinguir o que ele diz.

Volta à área para fumar um cigarro. Por sorte ele já vem enrolado. Tira outro cigarro do maço. Quando percebe que há dois acesos, trata de apagar um na pia e guardá-lo de volta. O mendigo continua a gritar a mesma frase ininteligível. Sobe num banquinho na tentativa de avistar o mendigo. No prédio ao lado, um andar abaixo, uma mulher esfrega roupas no tanque enquanto fala sozinha. Parece discutir consigo mesma. No mesmo andar, no apartamento ao lado, luzes estroboscópicas oscilam algum programa de televisão. Provavelmente fofocas. Provavelmente anunciando mais um fim de matrimônio e pondo em dúvida a sexualidade de algum galã. Talvez falem dele. Do cornudo que ficou feito uma estátua. As outras janelas do prédio ao lado nada revelam além de luzes acesas ou apagadas.

Júnior apanha um copo no armário e caminha até a sala, onde num par de portas na parte de baixo da estante o pai mantém um pequeno bar improvisado. Júnior apanha um copo no armário e caminha até a sala. Meia garrafa de um uísque paraguaio, aperitivo de alcachofra, um vinho tinto avinagrado, uma garrafa de rum com um grotesco desenho de um pirata com um papagaio no ombro no rótulo, duas garrafas de aguardente do interior de Minas. Detrás do acervo, enrolado numa flanela, um revólver Taurus calibre 38, municiado. Depois de hesitar um pouco, serve uísque sabor mertiolate. Caminha até o seu lugar no mundo e bebe generosas goladas. Um revólver Taurus calibre 38, municiado. Retorna à adega e dessa vez traz a garrafa para o sofá. Frustrado, Júnior se condena por nunca conseguir decifrar quando uma mulher está lhe dando bola. Dando sopa, diria o pai. Dando mole, seria outra opção. Sabe que o mundo mudou. Sabe que as mulheres se emanciparam e que hoje elas tomam iniciativa. Elas vão para o ataque. Mas isso nunca aconteceu com ele. Pergunta-se por que com ele as mulheres ainda agem à moda antiga. No fundo e no raso Júnior é um conservador. Um machista, talvez. No terceiro copo, alimentado pela clareza que o álcool traz, começa a desenvolver uma teoria revolucionária e muito particular. Uma sensação mais do que propriamente uma defesa. Talvez, com o surgimento da pílula os homens tenham iniciado uma guerra contra a vida. A maior e mais cruel de todas as batalhas. Inspirado por sua constante, freqüente e crescente rejeição, especula e crê que sua nova descoberta não se refere à moral. Ele estaria discorrendo acerca de biologia. Não ignora que sempre houve métodos contraceptivos, mas sabe que nunca existiu algo tão possante e eficaz. Pensa que, de alguma forma, a vida, pressentindo a negação feita pelo homem, em represália estaria causando um enorme buraco na camada de ozônio, produzindo violentas tempestades, maremotos, terremotos, catástrofes. Acredita que essas desgraças naturais só diminuirão no dia em que o homem deixar de negar a vida e suspender a produção das pílulas anticoncepcionais. No quarto copo sua teoria ganha ainda mais força e clareza. Não resta dúvida, a vida, sentindo-se rejeitada, contra-ataca. O crescente aumento da temperatura global é o sintoma da febre. A tadalafila, ou seja lá qual for o verdadeiro princípio ativo do Viagra ou do Cialis, teria sido engendrada na mente humana por um contra-ataque de entidades agindo em defesa da vida. A euforia o arranca do sofá e faz com que ande de um lado para outro. Certo. Nunca as coisas foram tão claras. Ergue-se do sofá e anda de um lado para outro. Confiante. Esse é o chamado da vida. Desperta! Levanta-te e anda! Gere vida! Faça filhos! Bruna!, ele grita. Sabe que é um eleito. Bruna!, ele grita. Assume o seu posto de soldado da vida. Bruna!, grita mais alto e mais determinado.

Bruna abre a porta do quarto e surge assustada.

— Que foi?

Bruna abre a porta do quarto e surge assustada.

— Você não percebe?

— O quê?

— Nós temos uma missão.

Bruna abre a porta do quarto e surge assustada.

— Quê?

— Nós temos uma missão. — Cobre o rosto enquanto chora emocionado. Gesticula sem conseguir falar, tamanho é o nó que estrangula sua garganta. Cobre o rosto enquanto chora emocionado. Anda na direção da moça. Ela recua, pressentindo o perigo. Júnior anda na direção da moça.

— Você bebeu?

— Bruna... nós temos que gerar vida... você não percebe? Você não sente essa luz que nos ilumina?

— Você está bêbado?

— É preciso, querida, me entende? Entende a nossa missão?

— Não chegue perto de mim! Eu estou avisando!

— Desperta, criança!

Decidido, o soldado avança na direção de sua nova aliada. Ela recua, pressentindo o perigo.

— Se você der mais um passo, eu vou gritar.

Júnior anda na direção da moça. Ela recua, pressentindo o perigo. Socorro!, ela grita, enquanto Júnior tenta beijar sua boca. Socorro! Ela escapa e corre para o quarto. Júnior anda na direção da moça. Socorro, ela grita. Júnior tenta alcançá-la, mas tropeça. Cai. Caído, continua a compreender a vida. Socorro! O álcool paraguaio parece ter atingido diretamente a sua glândula pineal. Extasiado. A euforia é o chamado da vida. Desperta! Levanta-te! Gere vida! Faça filhos! Bruna!, ele grita. Bruna!, ele grita. Bruna!, grita mais alto e mais determinado. Bruna abre a porta do quarto e surge assustada. Júnior espuma pela boca o nome de Bruna. Parece ter acessado todos os livros de ocultismo e auto-ajuda. Vê diante de seu, recém-aberto, terceiro olho todos os arquivos do Akasha. Tocado pela luz mais pura e incandescente, manifesta uma súbita série de contrações involuntárias dos músculos. Bruna, ele grita. Bruna, ele espuma. Sua cabeça bate violentamente contra o chão, seguidas vezes. Cada batida parece emitir o som: Bruna! Ele cala. Bruna! Ele engasga. Entra em convulsão enquanto alcança as respostas de todos os mistérios do universo. A luz é tamanha e de tal intensidade que seu pobre e precário organismo não pode suportar. Sente como se partes de seu cérebro esquentassem até atingir um ponto de fritura. Bruna, Bruna, Bruna. O corpo se debate violentamente contra o chão. Cada órgão parece independente e revolto. Júnior observa seu corpo estrebuchando. É constrangedor. Envergonha-se. Parece um peixe retirado da água. O corpo salta como se estivesse possuído. Então, lentamente, começa a sentir um relaxamento muscular. Tudo parece frouxo. Prova um esgotamento indescritível. Parece que nunca mais vai voltar.

Após o ataque, Júnior apaga no tapete da sala.

Quando consegue retomar parte dos sentidos, naquele estado intermediário entre o sono e a vigília, reconhece a voz do pai e a de Bruna. Percebe que está todo mijado. Acorda horrorizado, num sobressalto, com medo de ter se tornado um inseto. Como no livro. Todo o seu corpo dói. Júnior percebe que ainda é noite, ou que ainda não é dia. Diz algo que nem mesmo ele consegue entender.

— Ispisfou...

Reconhece os dois, que olham com pesar.

Quando estica a perna e com os pés encontra o limite do sofá, sabe quem é e onde está. Novamente apaga. Sono em fuga.

Ressaca

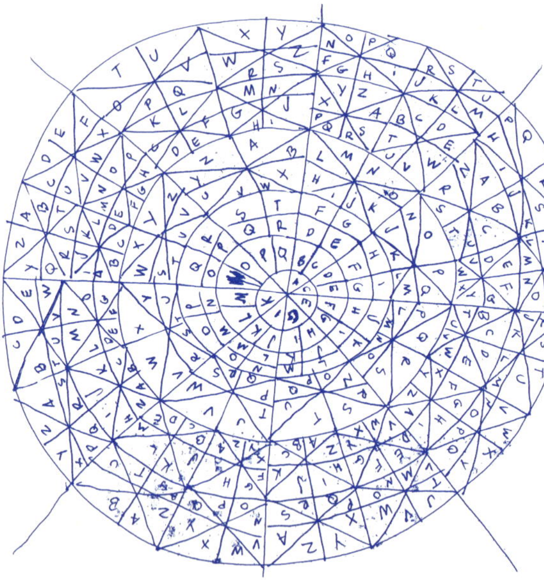

1

É a dor quem agora procura expandir sua cabeça. Não sabe ao certo o que ocorreu na noite anterior. Descobre que teve uma polução noturna. Agora, sim, o sofá provará sua existência. Vai para o banho com nojo de si mesmo. Quando levanta, a cabeça parece que vai estourar. Caminha a passos lentos para agüentar a dor. Liga o chuveiro e se despe. Entra na água. A água está tão quente que deixa sua pele avermelhada. Levanta-se devagar do sofá. A cabeça parece rachar de tanta dor. Um latejar indescritível. Caminha lentamente até o banheiro. Gira o registro da água, com esforço. Cada movimento é mínimo. A dor é terrível. Partes de sua cabeça ainda ardem por dentro. Sente como se tivesse sofrido uma grave queimadura no cérebro. Em diferentes regiões da massa encefálica. Tenta, em vão, acertar a temperatura da água. Mexe no registro como quem pretende abrir um cofre. Acaba tomando o banho gelado. Sai enrolado na toalha. Desliga o chuveiro e destrava a porta. Sai enrolado na toalha malcheirosa. Procura suas roupas, mas não as encontra. Volta para o banheiro e percebe o bolo jogado no chão. Veste-se. Por sorte, ninguém em casa. Encontra as roupas que trajava, jogadas no chão do banheiro. Abaixa-se lentamente para apanhá-las. Veste-se. Erra as casas dos botões, deixando a camisa desalinhada. Destrava a porta que jura não ter travado. Volta com passos medidos para o sofá. Deita mais um pouco para recuperar a energia. A queimação parece descer pela coluna. Esforça-se para levantar. Sente que não pode dormir novamente. A fraqueza é tamanha que teme nunca mais despertar. Arrasta-se até a cozinha. Enche a leiteira de água com vagar. Os sons parecem amplificados. Apanha o pote que guarda café e ferrugem. Prepara um café. Sua boca está seca. Bebe três copos de água gelada para cortar a ressaca. Localiza na prateleira do armário de lata na cozinha aspirina efervescente. Joga duas num copo com água e espera que se dissolvam. Acompanha o processo feito criança. Como a um show de mágica. Joga para dentro numa golada. A água parece que não vai ferver nunca. Ele assiste com paciência. Enche novamente o copo com água gelada. A água no fogo entra em ebulição. Coa o café. Apavorado, percebe que o lado direito de seu corpo não reage adequadamente ao comando. O lado direito parece mais letárgico. Os movimentos estão retardados. Procura, com esforço, memorizar o código da correia giratória do alternador. Não consegue. Sente como se o corpo estivesse levemente fendido. Como se houvesse um vazio transversal. Como se estivesse separado em duas metades verticais. Algo como um leve desnível que o torna assimétrico. Encontra sobre a mesa da cozinha o retrato feito por Bruna. Quando se volta da pia em direção à mesa, encontra o retrato que Bruna fez. Começa a interferir no desenho para representar essa estranha sensação. Quer entender o que se passa. Que angustiante sensação é essa? Precisa entender. Teria sido a maconha e a bebida? Seria um acidente vascular? Risca compulsivamente a imagem, buscando mapear as áreas onde sentiu aquela descarga elétrica e a queimação. Divide o desenho com traços longitudinais. Representa ondas e raios na parte esquerda da cabeça retratada. Faz compulsivos círculos e elipses, ondas e raios na parte esquerda da cabeça retratada. Centenas de traços concêntricos em torno de algo que pretende encapsular. Circunda a região do olho e do hemisfério esquerdo da imagem feita a carvão. Divide o desenho com traços longitudinais. Repete tantas vezes esse movimento que o cheiro da tinta da esferográfica toma conta do ar. O papel quase rasga. Interpreta o desenho como se fosse um espelho. Risca. Precisa mapear sua dor. Mapear esse descontrole. O assalto que viveu. Essa estranha possessão. Recorda-se de algo estranho. A sensação piora. Como se a fenda aumentasse. Como se ele fosse dois. Ele viu a mulher com o menino? Ele e Bruna fizeram amor? Foi ele ou o filho quem sonhou com o rei? Aquele dia nublado foi sonho ou verdade? O velho negro é real? Algo abstrato procura encontrar uma forma dentro de sua cabeça. O lado direito do corpo é cada vez menos seu. Um nó estrangula a garganta. Sente dificuldade em engolir a própria saliva. Pontos dourados, pontos luminosos, dançam, ofuscando a sua visão.

Fraqueza. Taquicardia.

Mesmo assim, acende um cigarro.

Mesmo que seja o último.

Curiosamente, parece recuperar o atraso do lado direito.
Uma longa tragada e um pouco de paz.
Aos poucos a coragem volta.
Talvez tenha sido a maconha.
A maconha e o álcool.
Talvez seja só isso.
Talvez fosse medo. Pavor.

2

Para distrair a cabeça, lista numa folha todas as autopeças de que consegue lembrar. Procura botá-las em ordem alfabética. Parece melhor. Resta apenas uma ressaca. Ao lado das folhas de papel está a caixa-*sedec*. Sênior entra.

— Tem alguém em casa?

— Estou aqui na cozinha.

Sênior chega de mansinho.

— Que merda, hein?

— Fiz merda, pai?

— Não lembra?

— Não, mas desconfio.

— Porra, Júnior! Eu te recebo da melhor forma que posso. Procuro te ajudar, e o que é que ganho em troca?

— Desculpe, pai. Eu não estou muito bem, não sei o que é, acho que preciso de um médico. Acho que estou enlouquecendo.

— Não fala merda! Isso é sem-vergonhice.

— Desculpa, eu não sei o que deu em mim. Eu bebi... não sei... acho que foi um esgotamento, sabe?

— Porra! Você está trilhando o mesmo caminho que o teu irmão.

— Desculpe. Não vai acontecer de novo, eu prometo.

— Você teve um ataque epilético?

— Eu não sei o que foi aquilo...

— Eu acho que teve.

— Será?
— Ficou espumando pela boca e se contorcendo.
— Acordei com uma dor de cabeça horrível.
— Isso é ressaca. Tomou uma garrafa de uísque, o que você queria?
— A garrafa estava na metade.
— Na metade estava o caralho!
— Me desculpa.
— Porra! Você só faz merda. Eu acho que não estou te ajudando. Se eu te dissesse que você não podia ficar aqui, aí você se virava. Se mexia. Procurava emprego, sei lá. Ainda foi pra cima da minha hóspede.
— Eu tentei beijar a moça, não foi?
— Você tentou catar ela na marra. Quase estuprou a coitada.
— Eu vou embora, pai. Vou dar um jeito. Ela ficou muito chateada?
— Até que não. Ficou tão assustada vendo você se debatendo no chão e espumando pela boca que te perdoou.
— Eu não sei o que deu em mim.
— O que tem nessa caixa?
— Umas coisas. Mandaram pelo correio.
— Que coisas?
— Umas tranqueiras.
— Quem mandou?
— Eu não sei.
— Como, não sabe? Agora você não sabe mais nada? Não olhou o remetente?
— Não tem remetente.
— Deixa eu ver.
O pai arranca a caixa das mãos do filho e começa a fuçar.
— Que porra é essa?
— Eu não sei.
— Isso é coisa da Márcia.
— Será?
— Como vou saber? E esse pano?
Júnior diz, com o cenho e os ombros, não saber.

— E esses CDs?

Júnior repete o gesto.

— É de música?

— Eu não sei, pai. Acabou de chegar.

— Vamos ver.

O pai liga o aparelho de som e pragueja:

— Olha que bela tecnologia vocês foram inventar. E isso porque vocês diziam que a válvula era lenta. Puta qualidade que tinha o som a válvula. Agora você liga o aparelho e tem que esperar esse ridículo *hello*. *Hello*, o caralho! Olha agora. Agora tem que esperar essa porra ler o CD. *Reading*. *Reading*, o caralho! Depois ele vai ler a faixa, e só depois vai tocar. E vocês diziam que a válvula era lenta. Porra de tecnologia do caralho. Olha aí! Estou falando! *No disc*. Acabei de pôr a porra do disco e o imbecil vem me dizer isso?!

— Calma, pai, deve ser outra mídia.

— Mídia? Mídia? Você ainda me vem com essa?!

— Calma, pai.

— Mídia é o buraco do cu! Isso, sim, é que é mídia.

Júnior está deslocado, constrangido, envergonhado...

— E o que era aquela lista que você estava fazendo?

— É só uma relação. Não é nada.

— Vamos lá embaixo, vem.

— Aonde?

— Vamos até a garagem.

— Na garagem?

— Eu quero te mostrar uma coisa.

— O que é?

— Vamos lá.

— Mas o que é?

— Você vai ver.

Sênior conduz o filho até o elevador. Júnior está assustado.

— O que é, pai? O que você vai fazer?

— Calma, moleque! Eu troquei de carro, quero te mostrar.

— Trocou?
— É, peguei um zero.
— Nossa. É o seu primeiro carro zero, não é?
— Estava na hora, não estava? Eu tinha umas economias.

3

Ao despertar, Júnior descobre ter recuperado o lado ausente. Precisa sair. Sai. Anda sem direção. Sem loteria. Pensa num assassino herdeiro de uma arma que jogava um jogo e matou a mulher. Pensa no incerto para afastar sua dor. Anda seguindo as pernas, que quase chegam a correr. Provavelmente o homem queria jogar, ou assistir a um jogo, mas a mulher ficava reclamando. Por isso ele pegou a arma, sua única herança, e atirou para matar. Deve ser isso, acredita. Mas por que alguém lhe enviaria essa matéria? Não seria uma mensagem cifrada enviada por seu ex-patrão para que ele fizesse o mesmo? Só pode ser isso, crê. Ele está exigindo que eu lave minha honra. É lógico. Só pode ser. E o pano? Vermelho. Veludo. Sangue e o pano do caixão. É subliminar. Um comando. Como num filme que viu. Um comando hipnótico. Uma mensagem de morte. Talvez tenha sido algo que estava na caixa que o atacou. Algo nas palavras cifradas. Resolve ir ao banco para ver o saldo. Quem sabe não resta um pouco. O suficiente para ele passar a noite numa dessas pensões. Não pode voltar para a casa do pai. Ao menos por uns dias. Como vai encarar a Bruna? Ela foi tão legal e ele tão ilegal. Tentar estuprar uma pobre estudante que desenhou seu retrato. Que lhe deu o seu único bem. Natureza-morta. Ainda por cima ele rabiscou o desenho. Deve ser um esgotamento nervoso. É só isso. Procura dar uma chance a si mesmo. Ao chegar na agência, confirma que deve mais do que tem. Não há nada para sacar.

Horácio.

Horácio pode ser sua última saída.

Outro companheiro da época da escola. Faz tempo que ele não vê o amigo, mas sabe que ele não vai lhe negar um teto por uns dias. O problema é que não tem o número do telefone dele. Não aqui no meio da rua. A agenda está na casa da ex. Resolve arriscar, ir direto à casa do Horácio. Toma uma condução. Ele sabe onde é o prédio, só não sabe qual é o apartamento. O ônibus está vazio, mas o trânsito não ajuda. F000KR9054. Correia giratória do alternador. Um homem vestido num terno amarrotado e com uma pasta 007 senta a seu lado. Suspira. Aparenta mais de trinta, menos de cinqüenta. Puxa conversa.

— E esse Congresso?

Júnior finge não ouvir.

— Só dá ladrão. Você viu a última?

Júnior sua. Não consegue respirar. Levanta de forma brusca e dá sinal. Desce no meio do caminho. Anda. A mulher do Horácio não vai com a sua cara, ele sabe, mas não tem escolha. Júnior pára num orelhão. Não tem cartão. Arrisca a cobrar. Vanessa, a telefonista da fabriqueta de autopeças, atende.

— Júnior! Como vai?

— Ele está?

— Vou transferir, mas me fala de você. Como está?

— Vamos indo.

— É o jeito.

— Passa aqui um dia desses.

— Vou passar.

— Um beijo.

— Beijo. Ah! Não fala que sou eu.

— Tá.

— Alô.

— Oi, Marco, sou eu.

— Júnior?

— Desculpe ligar, é que eu não tenho...

— Júnior? Você está bem?

— Eu estou legal.

— Que merda, hein?

— Que merda.

— Não tenho palavras... Me perdoa, cara...

— Eu sei...

— Júnior? A tua mulher que começou com a merda.

— Eu não estou te culpando. Não vamos falar sobre isso... agora.

— Eu... não queria... Eu queria que nada disso tivesse acontecido...

— Tudo bem.

— Diz o que você quer. Quer me xingar?

— Não.

— Quer me dar um soco? Eu deixo.

— Não.

— O que você quer?

— Eu queria ver se você pode me dar uma força.

— Precisa de um *help*?

— Eu não tenho um puto.

— As coisas não vão muito bem, você sabe, mas eu posso depositar algum na sua conta.

— É que eu pensei que, se eu fosse registrado, eu teria direitos.

— Você sabe que eu não te registrei porque não dá. Não dá para arcar com os impostos.

— Eu sei. Mas pensei que mesmo assim... você sabe...

— Fica frio, vou fazer um depósito. A conta é aquela?

— É.

— Que bosta, hein, cara?

— Que bosta.

— Fica tranqüilo que eu não vou te deixar na mão.

— E o Caio? Você sabe se ele está bem? Ele e o Thiago ainda se falam?

— Ele é um menino forte, deve estar bem. Você não tem falado com ele?

— Não.

— Procure o menino. Ele é seu filho, precisa de você.

— Eu vou ligar para ele. Marco, eu não ando bem...

— Que merda, hein? O que você tem? Tá doente?

— Acho que eu estou ficando louco.

— Eu vou fazer o depósito agora mesmo.

— Eu estou com medo. Eu estou com muito medo. Acho que estou ficando louco.

Em casa, sem ter onde se esconder, Júnior se fecha no banheiro. Senta no vaso e expira longamente. Sabe que não pode ficar lá para sempre. Tudo se repete. Tudo se repete aleatoriamente. Júnior se fecha no banheiro. A cena se repete. Júnior senta no vaso. A cena se repete ou ele a anteviu? Não quer encarar a Bruna. Entra no banheiro e tranca a porta. O coração disparado. Um nó na garganta. Agacha-se ao lado do vaso. Tranca a porta. Fazia muito tempo que não fumava maconha. Talvez tenha sido isso. Procura se convencer. Volta para a sala temendo a chegada da Bruna. Na TV a novela recomeça. Júnior observa o pai, que surgiu de repente em sua poltrona. O pai parece um boneco de borracha. A réplica do pai finge assistir à novela. Jovens de peito peludo andam pela tela. Moças magras com seios desumanos caminham em mínimas roupas coloridas. Júnior percebe que não são pessoas, não são atores. São criaturas de plástico. Como naqueles desenhos feitos de massinha.

Discretamente pega o telefone sem fio e carrega até a área de serviço. Liga para a ex-casa. Quer ouvir a voz do filho. Chama, chama.

Caio atende.

Júnior não consegue falar.

— Alô?

Júnior desliga.

Júnior precisa de ajuda.

Volta para a sala e resolve abrir o jogo com Sênior. Não consegue mais guardar aquelas imagens. Precisa que alguém, além dele mesmo, se apiede da desonra que ele viveu.

— Pai?

A poltrona está vazia.

Circular

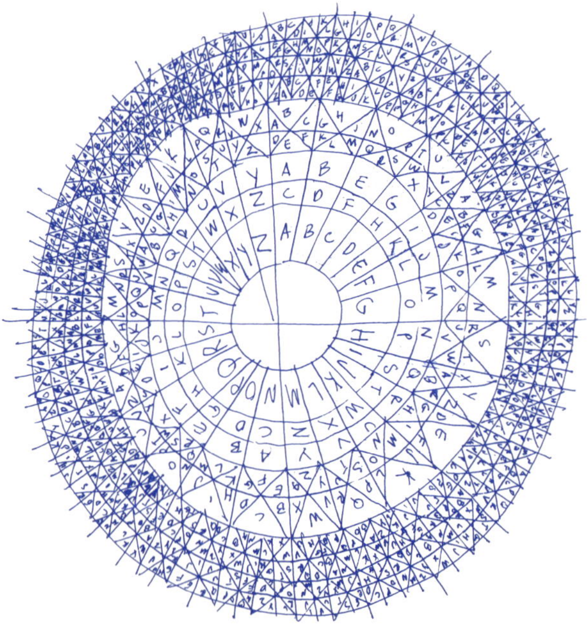

1

Júnior levanta e tira o saldo por telefone. Descobre que nada mudou em sua conta além da cobrança da CPMF. Deve mais alguns centavos aos credores. A casa está silenciosa. Parece que o mal-estar foi embora. Ao menos o físico. O videocassete emite dez e trinta e três em seu verde-neon. Júnior confere a garrafa térmica. Resta uma xícara fermentada pelo açúcar. Bebe fazendo careta. Fuma com prazer. Puxa o canto do pôster e observa o quarto vazio. Percebe suas novas roupas de tons terrosos penduradas ao lado dos trajes do pai. Sob elas a misteriosa caixa-sedec. O pai guardou para ele. Arrumou um lugar. Júnior agora tem um cantinho no armário do pai. Apanha a caixa e retorna ao sofá.

Daily News, Saturday, September 8, 1951
Mexico City

HEIR'S PISTOL KILLS HIS WIFE;
HE DENIES PLAYING WM. TELL

Que diabos, pragueja. No verso do pequeno recorte há o fragmento de uma foto e, ao lado, o trecho de uma coluna. No fragmento da imagem, as patas de supostos cavalos ou daquele ser mitológico do zodíaco.

No trecho da coluna procura uma nova mensagem.

the jumping of horses.
equine tails and hooves.
the fast of St Theodore (a
ngly through the village
on periodic animal meta-

Pior ainda. Instala-se em sua mesa de trabalho. Abre o dicionário, traduz palavra por palavra. Vinte e cinco minutos depois chega à seguinte combinação:

> os pulos dos cavalos.
> eqüinas caudas e cascos.
> o jejum de são Teodoro um
> *ngly* (?) direto da vila
> periódico animal meta-

Júnior chega a se perguntar se é ele que não entende o inglês ou se é a língua inglesa que não faz sentido. *Os pulos dos cavalos de eqüinas caudas e cascos jejuam no dia de são Teodoro e avançam direto da vila*. Reformula. O esforço o desgasta física e mentalmente. Quer voltar para o sofá, entrar em si mesmo, mas sabe que não pode. Já não suporta o ar repreensivo do pai. Precisa sair. Precisa arrumar um emprego. Tira outro saldo, e nada. Amaldiçoa o ex-patrão e a vida. Resolve apelar novamente a Horácio e ruma para sua casa. No ônibus, os que falam discutem política e novela. Horácio não está. Nem ele nem a mulher. Eles trabalham. Júnior não consegue lembrar o nome da senhora Horácio. O porteiro diz que só voltam à noite. Tarde da noite. Como quem diz: o senhor não pretende ficar esperando aí no portão, não é mesmo? Júnior procura um bar. Logo encontra. Pede uma cerveja. Sabe que resta menos de trinta do patrimônio que conseguiu guardar. Divide os bens que lhe restam em cerveja e conhaque. Sabe que, quando Horácio chegar, ele vai lhe emprestar um dinheiro e convidá-lo pra ficar. O Horácio é um cara bacana. Trabalha numa multinacional. Fizeram juntos o colégio. Júnior sorri, lembrando das farras. Das garotas que quis e não teve. Das viagens pelo litoral quando não havia perigo na praia, nem filho ou mulher. Lembra de quando venderam esterco de vaca como se fosse maconha. Gastaram todo o lucro num bar. Lembra de quando foram ao cinema ver *Monty Python em busca do cálice sagrado*. Assistiram boquiabertos. Não viram graça. No caminho de volta começaram a discutir o filme e aí entenderam. Riram até se mijar. Depois de iniciados, não perdiam um filme do grupo. Júnior encaixa o último copo de conhaque que seu dinheiro pode comprar no sorriso dos lábios e deixa descer. Lembra quando fizeram na casa do Humberto o "teste da faxina". Pegaram uma banana na fruteira e a esconderam num vaso que enfeitava a estante. Deixaram ali para ver se a mãe do Humberto ia encontrar quando limpasse a casa. Só achou quando o canto da sala se encheu daqueles mosquitinhos do DNA. De repente, Júnior percebe o absurdo da situação. Como encontraria coragem, a não ser em suas fantasias, para pedir dinheiro emprestado e um lugar pra ficar? Paga a conta e caminha os nove quilômetros que o separam de seu sofá. Próximo ao prédio avista o mendigo que grita. Mas agora ele dorme. Ou morreu. Não dá para saber. O porteiro da madrugada o estranha. Júnior está sem força para discutir. Conta a história de sua vida pelo interfone na esperança de seduzi-lo a deixar passar. Diz que a mulher o traiu. Diz que perdeu o emprego. Que está sem um puto e que não tem para onde ir. O porteiro cede. Quando passa a guarita, Júnior tenta lhe dar um abraço, ele não aceita.

— O senhor não pode subir.

— Como não?

— Eu deixei o senhor entrar porque aí fora é perigoso. O senhor tem que esperar o seu Zé.

— Não me diga que você interfonou pro meu pai uma hora dessas?

— O senhor aguarda aí.

Surge o pai. Furioso.

— Porra, Damião, é o meu filho!

— Ele falou outro nome.

— Porra, Júnior! Você bebeu!

— Só um aperitivo, pai. Encontrei uns amigos, me prometeram um trabalho.

— Só vendo. Sobe, mas não dê um pio. Eu vou acabar tendo um negócio.

Júnior sobe quietinho. Olhando a patética criatura no espelho. Entram mudos. Júnior capota no sofá. Vislumbra cavalos velozes de cascos fortes e rabos fartos correndo num prado de Mexico City num sábado de setembro de 1951. A breve imagem é interrompida pelo tema do pai. Ainda não são seis horas, mas o pai já assobia enquanto coa o café. A cabeça lateja.

Parece que vai estourar. Não viu a hora quando chegou, mas sabe que mal deu pra sonhar. Vai ao banheiro e lava o rosto. Descobre que, desde que chegou, não escovou os dentes. Sempre esquece de comprar a escova. Passa um pouco de pasta no dedo e simula.

Junta-se ao pai na cozinha.

— Bom dia.

— Bom dia.

O maço guarda o último cigarro. Mesmo assim taca fogo ao provar o café. O pai segue cantarolando. Júnior elabora uma história de emprego e sucesso, mas falta coragem para narrar.

Bruna entra sonolenta.

— Bom dia.

— Bom dia.

— Bom dia.

Parece que não houve nada. A jovem artista não o reprova com o olhar. Júnior lhe serve o café. O pai leva uma xícara e o pasquim para o banheiro.

Júnior olha para Bruna. Ela devolve o olhar.

— Desculpa.

— Tudo bem. Você estava bêbado.

— É.

— Está melhor?

— Estou.

Júnior mergulha o pão com manteiga no copo.

— Eu adoro fazer isso — Bruna diz num sorriso.

— Isso o quê?

— Chuchar.

— É feio, mas é gostoso.

— Eu adoro — Bruna diz, enquanto imita o gesto.

Nenhum sentimento se compara ao de ser perdoado.

— Eu estou vendo um emprego e, assim que eu receber o primeiro salário, vou pôr o seu desenho num quadro.

— Eu fico feliz que você tenha gostado.

— Você não sabe o valor que aquele desenho tem para mim.
— Que bom. Eu preciso ir.
— Que você tenha um bom dia.
— Pra você também.

2

A cabeça lateja, menos. Júnior abre a porta do armário da cozinha. Outro dia notou que o pai tem o hábito de juntar uns trocados dentro de um copo. Júnior subtrai o valor de um maço de cigarros. Diz para o pai que vai ver um serviço e sai. Hoje o dia está mais agradável. Júnior compra cigarros e cogita visitar o Horácio. Caminha. Comia. Comia. Casava. Avista Mundinho na porta do bar.

— E aí?
— E aí?
— Tá indo pro trabalho?
— Pode crer — diz, tentando recuperar o velho dialeto.
— Firmeza. Quer fazer uma fezinha?
— Não. Estou sem palpite.
— Não lembra o que sonhou?
— Não lembro.
— Eu tive um sonho muito louco.
— É?
— Sonhei que estava num lugar cheio de cabeças decepadas. E elas ficavam chorando e se lamentando. Era lá que os queijos eram produzidos.
— Nossa!
— Loco, né?
— Você tem visto a turma? — Júnior procura investigar possíveis fiadores. Além de tentar mudar de assunto.
— Que turma?
— A moçada.
— Que moçada?

— Do passado.
— O passado já era.
— Só — tira essa do mesmo glossário.
— E aí?
— Vamos levando.
— Não, cara, tem que dizer: vamos empurrando. Quem leva é veado.
— Tá certo. Vamos empurrando.
— É isso aí.
— Só. Mundinho, você teria uns cinco contos pra me emprestar? Eu esqueci a carteira.
— Tô ligado.
Mundinho saca do bolso um punhado de notas amassadas.
— Cinco?
— Dá dez, vai. Depois eu te pago.
— Fica frio.
— Bom. Eu vou indo.
— E eu vou ficando.

Júnior acende mais um e caminha. Procura os vestígios de sangue. Sumiram. O Horácio teria prazer em ajudar. Tenta se convencer. Pára no ponto. Faz sinal. Procura um assento privilegiado. Pede licença a uma jovem. Ela dá passagem, contrariada. Ela ocupa o lugar do corredor para evitar companhia. Carrega uns volumes. Sobre a pilha um livro com o código penal. Vai ser juíza de direito. Vai consertar o mundo, ou pelo menos o seu. Juiz ganha bem. Júnior quer puxar um dedo de prosa, no verbo do pai, mas as palavras não saem. A jovem levanta. Tem estampado no lombo o Tao. Desce. Júnior admira o céu cinzento. Sabe que é cedo para encontrar o amigo, mas está aprendendo a ser paciente, a esperar. Hoje não vai ser preciso voltar a pé. Um senhor de boné pede licença e senta. Mantém um olhar fixo e distante. Júnior percebe escapando por entre suas mangas dobradas um número azulado tatuado em seu braço próximo ao pulso. 53471. Havia muito Júnior não via isso. Quando garoto, era comum encontrar esses sobreviventes que tanto o impressionavam. Júnior queria dizer algo, ao menos expressar seus sentimentos. Mas o que dizer? Ignora que foi em parte o silêncio que imprimiu esses números em série.

0580453471. Bomba de combustível. O circular fez a volta e, quando Júnior se deu conta, estava no mesmo lugar. Lá, ou aqui, acabou descendo. Próximo ao prédio do pai. Sua casa.

Remanso

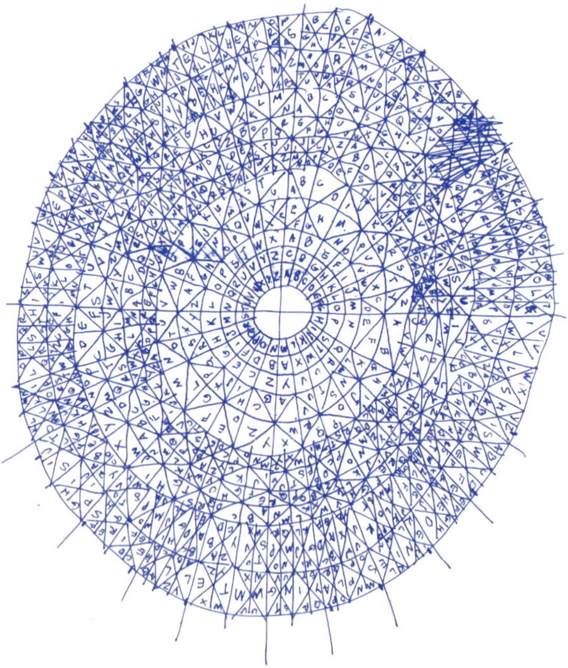

1

Júnior acorda e não há ninguém em casa. Não há café na garrafa nem pão no saco. Volta para o sofá e fuma deitado. Hoje talvez ele vá à casa do Horácio. Disca para obter o saldo, mas nada mudou.

Porque o neon já marca onze e quatro, resolve cobrar o ex-patrão.

Vanessa anuncia que o patrão não está.

— Não está para mim ou não está para ninguém?

— Tenta mais tarde.

— Vou tentar.

Em busca de moedas ou trocados, Júnior encontra numa gaveta da cozinha algumas brochuras. Abre ao acaso um caderninho encapado com um amarelado papel de Natal. Reconhece a letra da mãe. Folheia. Não lê nada. Apenas acaricia as palavras que a mãe desenhou. Infelizmente, quando Olga, sua mãe, morreu, restaram na casa apenas os livros do pai. Os incontáveis volumes que Olga devorava eram para eles "livros de escola". Só ocupavam espaço. Foram vendidos no sebo pelo peso do papel. Olga era fascinada pela Babilônia. Caso Júnior continuasse sua busca, encontraria três pequenos cadernos, ironicamente encapados com papel de presente com temas natalinos, que hoje estão misturados a outros cadernos de receitas numa gaveta da cozinha. Nesses três volumes sua mãe registrou sua própria visão, sua versão da história. Não pensava em publicar suas idéias. Sentia apenas necessidade de anotá-las. Como o filho, era invadida por teorias, era dada a ataques. Olga não tinha com quem dividir seus pensamentos. Júnior põe o caderno de volta na gaveta e segue buscando o que juntar. Só quer o suficiente para um maço. No vaso que guarda canetas sem tampa, encontra trinta e cinco centavos em duas moedas. Resolve apelar para o quarto de Bruna. Na primeira gaveta que abre, encontra oculta sob as surradas calcinhas uma pequena bolsa de pano com várias notas de cinqüenta reais. Contabiliza seiscentos. Não pensa em roubo, mas em empréstimo. Subtrai uma nota. O furto dispara seu coração e libera epinefrina, falta o ar. Rói o canto das unhas e dos dedos. Vasculha o armário do pai. Observa o vazio através do pequeno orifício, excitado, acaba brincando com o pau. Sem conseguir corrigir o trajeto do jorro, esguicha sobre um velho pulôver. Arrependido, devolve os cinqüenta e, buscando reparar o estrago, decide lavar uma leva de roupas de Sênior. Enquanto as roupas batem e são centrifugadas em grande estardalhaço produzido pela velha lavadora, Júnior começa a arrumar a cozinha. Restam apenas dois para fumar. Motivado pela fome, frita um ovo. Almoçado, resolve tentar novamente o patrão. Dessa vez, duas e quinze em neon, o ex se encontra, mas numa importante reunião. Não pode atender. Na esperança de que o remorso o tenha inspirado, tira um novo saldo por telefone e descobre que tais ligações custam caro e que cada vez deve mais. Decidido, pega de volta os cinqüenta de Bruna e esquece de pendurar as roupas no varal.

Está tenso. Seus passos, embora sem rumo, são decididos. Marcha. Entra no primeiro bar. Compra três maços e com o restante tenta brindar-se com conhaque. Não consegue. Após três doses generosas sai trançando as pernas sem pegar os trinta e um de troco. Intoxicado, sorri enquanto exala fumaça. Para quem está perdido, qualquer desvio é caminho. Senta na sarjeta e sente a Terra rodar. Deita, buscando atenuar a sensação. Julgando estar em seu sofá, se acomoda e adormece beijando o chão.

Desperta assustado. Sudorese e taquicardia. Não sabe onde está. Para sua surpresa está no sofá. O neon pisca zero-zero. Faltou luz. Pela janela avista a noite. Ouve Bruna tossir na cozinha e com esforço se dirige até lá. Ela lê um grosso volume e faz apontamentos.

— Bruna?

— Oi.

— Que horas são?

— Onze.

— Nossa!

Bruna continua os estudos, compenetrada.

— Cadê o meu pai?

— Adivinha.

— Bingo?

— Bingo!

— Vou ver se ainda tem uma aspirina.

— Se quiser, eu tenho Neusa.

— Como assim?

— Neosaldina.

— Ah!

Júnior encontra um efervescente no armário.

— Ainda tem uma aqui.

— Você viu que bacana o carro novo do seu pai?

— Vi. Legal, né?

Júnior pega a jarra de água na geladeira, serve uma dose e lança o disco de ácido. Enquanto assiste à decomposição, indaga:

— Bruna, você me ajudaria a ver o que tem nuns CDs?

— Como assim?

— É que eu não tenho como abrir.

— Você quer que eu tente no meu computador? É isso?

— Isso.

— Claro. Vamos ver.

— Não precisa ser agora.

— Eu não agüento mais esse trabalho. Vamos lá.

Júnior engole a aspirina e segue Bruna até o quarto. Ela se curva para acionar o estabilizador. Ainda curvada, liga a torre. Júnior sente uma espécie de vazio na cabeça. Bruna se curva para acionar o estabilizador. O computador demora a iniciar. Se fosse valvulado, seria mais rápido, diria Sênior.

— Cadê os CDs?

— Vou buscar.

Júnior pega os CDs no armário do pai e aproveita para trazer o recorte. Quem sabe Bruna não ajuda?

— Você fala inglês?

— Eu entendo um pouco. Por quê?

Ele estende o recorte.

— Puxa, eu não lembro o que é *heir*.

— É herdeiro.

— "Herdeiro assassina esposa com pistola; ele nega que brincava de"... "Wm"? Isso eu tenho que ver no dicionário.

— Eu já procurei e não tem.

— Você olhou na parte que tem as abreviaturas?

— Como assim?

— Deixa eu ver.

Bruna apanha o dicionário e folheia como se fosse um livro japonês.

— Aqui, reduções. *U*, *v*... *w*. William.

— Como assim?

— É a abreviação de William. Como "Jr.". De Júnior.

— Caramba. Então é "William dizer"?

— Não, eu acho que esse "Tell" é nome próprio também.

— Será?

— Acho que sim. Eu tenho uma amiga que morou fora e manja muito inglês. Se você quiser, eu anoto a frase e peço para ela traduzir.

— Eu quero, se não for dar trabalho.

— Imagina. Não custa.

— Eu ficaria muito grato.

— Então acho que entendi. Olha aqui. William Tell é tipo Guilherme Tell. Então acho que diz que o assassino era um descendente, herdeiro, de Guilherme Tell.

— Mas Guilherme Tell existiu?

— Acho que sim. Vamos ver.

Bruna clica duas vezes no ícone do Explorer, vai do Terra ao Google, digita "William + Tell", escolhe a *Wikipédia* e descobre que foi mesmo uma lenda. E as lendas não deixam herdeiros.

— É, era mesmo uma lenda do século XV.

— Lá no trabalho não tínhamos internet.

— Não tinha acesso à internet?

— O patrão não botava, até porque só trabalhávamos com planilhas no Excel.

— Cadê o CD?

— Aqui.

Bruna insere o primeiro CD e, quando tenta abrir, aparece a mensagem: *O Windows não pode abrir esse arquivo. O que você deseja fazer?*

— Que é isso?

— É uma mensagem. Vamos tentar abrir pela Web.

Bruna dá ok na opção selecionada: *Use o serviço da Web para encontrar o programa apropriado.* Automaticamente abre a página Windows File Association. *This file in your language is not available.*

— E aí?

— Diz que não tem o programa em nossa língua.

— Ah...

View the English version. Clica. *Windows has the following information about this file type. This page will help you find software needed to open your file. File Type: Unknown. Description: Windows does not recognize this file type.*

— E aí?

— Estou tentando.

Windows Live Search (em azul). Clica. Surge:

```
... i commands = { 'php'=> "php-f #{current_file}", "rb"=>"ruby#
{current_file}", py'=> "python#{current_file}, 'browse'=> "gnome-open#
{current_file}" } extension=$1extension...
```

— Deve ser Mac. Vamos tentar o outro.

— Esse não vai mesmo, né?

— É outra plataforma.

Bruna insere o segundo CD e toda a operação se repete.

— Será que não é isso aí?

— Isso aí o quê?

— Esses símbolos.

— Será? Não, não pode ser.

— Mesmo assim, posso anotar?

— Quer mesmo anotar isso?

— Quero. Você me empresta papel?

— Deixa que eu imprimo.

— Quer tentar o outro?

— Já que estamos aqui, por que não?

Bruna enfia o terceiro CD. Tudo igual. Desiste logo de cara. Ela apanha a folha que saiu da impressora fazendo uma curiosa melodia e entrega a ele. Ele observa.

Deve estar aqui, pensa.

```
... i commands = { 'php'=> "php-f #{current_file}", "rb"=>"ruby#
{current_file}", py'=> "python#{current_file}, 'browse'=> "gnome-open#
{current_file}" } extension=$1extension...
```

— O que são esses CDs?

— É o que eu queria saber.

— Não. Do que são?

— Eu não sei.

— Não são seus?

— São, quer dizer... me mandaram, mas eu não sei o que são...

— Pergunte para quem te mandou. Pergunte em que programa estão salvos.

— É que eu não sei quem mandou.

— Como não sabe?

— Vieram numa carta anônima.

— Que estranho.

— É. Muito...

— Você devia ter me dito isso antes de eu botar no meu computador. E se for vírus?

— Tomara que não seja vírus.

— Tomara. Se estragar meu computador, estou ferrada. Não tenho dinheiro para chamar um técnico.

Tem quinhentos e cinqüenta reais debaixo das suas calcinhas, pensa.

— Não vai dar problema, fique tranqüila.

— Esse recorte também veio na carta?

— Veio. E veio também um pedaço de pano.

— Como assim, um pedaço de pano?
— Uma amostra, sabe?
— Hã?
— Um veludo vermelho.
— Que louco. E você nem desconfia quem te mandou?
— Cada hora eu desconfio de uma pessoa diferente.
— É tipo uma charada.
— É uma charada.
— Isso é estranho, mas é meio excitante.
— É, para mim tem sido bom, me distrai.
— Eu vou mandar um e-mail para a Letícia, para ver o que ela diz.
— Letícia é essa sua amiga que fala inglês?
— Fala muito. Morou dez anos fora.
— Legal.
— Bom, eu preciso terminar o trabalho.
— Claro. Acho que eu vou me deitar.
— Não sei como você consegue dormir naquele sofá tão pequeno.
— Consigo porque não tenho escolha.
— Compra um colchonete.
— Eu estou duro.
— Um colchonete é barato. Quanto pode custar?
— Eu estou duro mesmo.

Bruna levanta da cadeira giratória e começa a se dirigir, lentamente, para a cozinha. Tentando tirar Júnior do quarto.

— Então compra quando der.
— Quando der, eu compro.
— Bom, eu vou acabar o trabalho.
— Eu vou deitar.
— Boa noite.
— Só preciso fumar um cigarro, te incomoda muito?
— Nem. Me incomoda de manhã. O cheiro é horrível.

Júnior pega o maço e se instala junto ao vitrô da área. Esqueceu da barata. Fuma. A ajuda de Bruna desperta sua dúvida quanto à interpretação que faz sobre os signos femininos. Por que ela o teria ajudado? Por que perderia tanto tempo com ele, interrompendo seus estudos, investigando charadas, se ele não fosse, de alguma forma, especial para ela? Por outro lado, sabe que ela queria dar um tempo nos estudos. Estava cansada. Não foi isso que ela falou? Lembra do furto e o coração dispara. Precisa urgentemente cobrir o desfalque. Por que aquele filho-da-puta não fez o depósito? Ele não prometeu que faria? Ele não lhe deve pelo estrago que causou em sua vida? Ou pensou que iria usar sua mulher de graça? Aquela vaca. Toda puta tem preço. Tudo tem um preço. Tudo se prostitui. Acende outro cigarro. Não quer ir dormir. Como vai pegar no sono se acabou de acordar? Será que a Bruna vai demorar para acabar os estudos? E, quando acabar, vai dormir? Não vai fumar um baseado hoje? Júnior não quer dormir, queria poder acordar. Por que Bruna faria o seu retrato se não o achasse bonito? Quando menino, perguntou para a mãe se ela o achava bonito. Eu sou bonito, mãe? Não me enche o saco. Não vê que estou arrancando os cabelos? Olga cultuava demônios. Os demônios não querem ser amados, querem possuir. Júnior não ama Bruna. Mas seria capaz de doar-se a qualquer mulher que lhe desse atenção.

— Bom... vou deitar.

— Boa noite.

— Deu uma esfriada. Não deu?

— É bom pra dormir.

Júnior observa a garota que fez seu retrato e que em retribuição ele roubou. Quer apenas ficar junto dela. Próximo a sua vitalidade. Ela lê. Falta uma razão. Falta assunto. O silêncio começa a pesar.

— O que você está estudando?

— O neoclássico.

— Ah!

— Tenho um seminário.

— Bom, vou deitar.

— Boa noite.

— Boa noite.

Júnior caminha para o sofá. Deita. Mantém os ouvidos atentos nos movimentos da moça. Ouve o bêbado, mas não consegue decifrar o que diz. Zero-zero pisca o vídeo.

O tempo parou e mesmo assim continua pulsando.

O Horácio ficaria feliz em poder ajudar, acredita. Já não sente vontade de pedir abrigo, só um empréstimo. Só até as coisas mudarem. Até ele acertar o passo. Bruna vira uma página. Ele precisa de outro cigarro, mas não pode voltar para a cozinha. Fantasia. Vira-se de bruços e o sexo encontra o calor do estofado. O calor que seu corpo deixou. Pensa em Bruna largando o estudo para ir deitar com ele. Ela chega sem dizer nada. Acomoda-se. Olha em seus olhos. Ele percebe o brilho que a luz da cozinha reflete. Sente o hálito morno dela aquecendo seu rosto. Ouve o que parece ser chuva. Adormece simulando uma trepada.

2

Ouve a cantilena do pai. Sente o aroma do café. Zero-zero. Levanta.

— Pai?

— Fala, bola murcha.

— "Bola murcha"? Essa fazia tempo que eu não ouvia.

— Você não me disse o que a Miranda falou.

— Ela precisa saber a que horas eu nasci.

— É?

— O senhor sabe?

— Ah, não... não lembro. Tem que ver na sua certidão de nascimento.

— Eu não tenho isso.

— A original deve estar no meu armário, na parte de cima.

— Vou procurar depois.

— Eu tenho certeza que tem uma lá.

— E que horas são agora?

Júnior olha para o relógio que fica sobre o fogão, mas não consegue distinguir os ponteiros. Parecem ter o mesmo tamanho.

— Seis.

— Já?

— Ainda.

Assobia enquanto coa o café.

— E seus amigos? Arrumou alguma coisa?

— Hoje eu tenho que ir ao banco resolver umas coisas e depois tenho uma entrevista.

O velho truque do banco.

— Que bom. E para quê?

— É para trabalhar com autopeças mesmo.

— Bom, você já conhece o ramo. Tem gabarito. Pode dar pedal.

— É verdade.

Dar pedal?, repete mentalmente.

— Esse fim de semana eu vou pra praia com a Lurdinha, te falei?

— Não. Que bom.

— Quero pegar uma estrada com o carro novo.

Júnior sente um frio na espinha. Mentaliza cenas da última ida ao litoral. Um filme de terror. Uma tragédia romântica. Tudo acaba no mar. Ou começa? Não lembra o ditado. Começa e acaba? A cena que nunca viu não sai de sua cabeça.

— Ela tem um apartamento lá.

— Pena esse tempo, parece que vai esfriar.

— Não vai, não. Deu na previsão que o fim de semana promete sol, com pequenas pancadas de chuva.

Sempre tem as pancadas.

— Então o senhor vai aproveitar.

— Vai querer um cafezinho?

— Opa!

— Foi você que lavou minha roupa?

— Ah! Fui eu.

— E por que não pendurou?

— Caramba! Eu esqueci na máquina?

— Esqueceu. Não pode. Isso acaba com o tecido.

— Foi mal.

— Apodrece tudo. Você precisa prestar mais atenção no que faz.
— É... O café está muito bom.
— Deixa que eu lavo minhas roupas.
— Desculpa. Eu só queria ajudar.
— Dá um jeito na sua vida que já ajuda bastante.
— Eu vou dar.
— Eu preciso fazer cocô. Dá licença.
— Vai lá.

Júnior acende um cigarro. As costas doem. Precisa arrumar algo para fazer nessa tarde. Se tivesse dinheiro, podia ir ao cinema. Há muito tempo que não vai. Leu que fizeram um filme sobre a vida de Noel Rosa, quer assistir. Espreguiça. Então papai vai para a praia. Só ele e Bruna no fim de semana. Talvez, por precaução, pudesse tomar um dos comprimidos do pai. Vai que ela dá sopa, como diria o velho. Não tem um puto, senão podia pedir pizza e alugar um filme. Se continuar esse tempinho, se as previsões estiverem erradas, se só houver as pancadas, isso ajuda a unir um casal. O pai retorna. Apanha o jornal e lê os esportes. O vulto de Bruna desliza para o banheiro.

— Eu vou ver se acho a certidão.
— Vai lá. Leva o banquinho senão você não alcança.

Júnior faz a porta do armário ranger. Cautelosamente, descola o canto do pôster. Depois, para disfarçar, abre uma das portas de cima. Várias caixas encapadas e etiquetadas com a letra da mãe. Apanha uma onde a mãe escreveu: documentos. Enquanto Bruna não sai do banho, aproveita para procurar a certidão. Ao abrir a velha caixa, encontra uma hóstia de gesso e um cálice, desbeiçado, lembrança de sua primeira comunhão. Lembra do padre. Irmão Darós. Dar hóstia, eles brincavam. Péssimas lembranças de um passado que não passa. Ouve Bruna deixando o banheiro. Sente o perfume do shampoo. Quando o vulto cruza a porta do quarto de Sênior, Júnior aproxima o olho do orifício.

— Achou?

Rapidamente disfarça e encosta a porta. O pai quase dá um flagrante.

— Aca... acabei de pegar essa caixa.

Sênior acende a luz e senta na cama mal-arrumada. Júnior senta a seu lado. A caixa tremendo nas mãos. O pai apanha a hóstia de gesso.

— Lembra disso?

— É.

— Foi tão bacana a cerimônia.

— Hã-hã.

— Pena sua mãe.

— Ela cismava com a Igreja.

— É. Eu acho que ela ficou assim por ter estudado em colégio semi-interno.

— Pode ser.

— Colégio de freiras. Ela julgava a religião pelo ato dos homens, me entende?

— Claro.

— Tem coisas que é melhor não mexer.

— Foi o senhor quem falou para eu procurar nas caixas.

— Não, não é disso que eu estou falando.

— Ah!

— Você devia ler as cartas que seu irmão escreve.

— Não, não. A gente estava falando da mãe.

— Pois é. É que nas últimas cartas seu irmão fala umas coisas que ficaram na minha cabeça.

— Que coisas, pai?

— Umas coisas... Você tinha que ler.

— Eu não vou ler, pai. Não faço mais esse jogo.

— Ele escreveu que tudo o que aconteceu com ele foi por causa disso.

— Disso o quê?

— Dessas coisas da sua mãe.

— É mais fácil assim, não é?

— Não, ele fala umas coisas que... fazem sentido.

— Ele é paranóico, pai. Ele sofre delírios.

— Eu sei, mas, se você parar para pensar, faz sentido.

— O que ele falou?

— Ele falou que tudo o que passou foi por culpa dela. Ele acha que de alguma forma sua mãe interferiu... e por isso a sua vida desandou. Ele agora é evangélico, você sabe...

— Sei. Então é tudo culpa dela... Ele não fez nada, é isso?

— Ele acha que sua mãe acabou entregando a alma dele.

— Ah, pai, faça-me o favor.

— Você sabe que a velha tinha uns hábitos estranhos. Sua mãe sempre gostou dessas coisas.

— Chega, pai.

— Você lembra aquela imagem que ela tinha? Aquela estatueta...

— Isso tinha a ver com o que ela estudava, com as coisas de história que ela tanto gostava. Era isso. Aquelas antigas civilizações.

— Mas eu acho que não é bom mexer com essas coisas. Eu acho... sei lá. Eu nunca gostei dessas coisas. Um homem não pode servir a dois senhores.

— Servir?

— Você entendeu.

— Não caia no jogo dele, pai.

— Sua mãe tinha mesmo umas manias estranhas. Ela gostava dessas coisas... ocultismo.

— Tá, e por isso ele foi fumar crack. Eu não caio nessa, pai. E, se o senhor não gosta disso, por que me mandou ir à cartomante?

— É diferente.

— É igual. É profano.

— Mas seu irmão explica isso em detalhes, você tinha que ler.

— Pai, é a mente dele. O senhor não lembra do que o médico falou? Ele é inteligente. Ele inventa histórias convincentes, mas isso faz parte da sua doença.

— Sei lá. Deixa pra lá. Eu só acho que tem certas coisas que a gente não deve mexer. Ela era chegada mesmo nesse negócio de misticismo. Isso não traz uma boa energia... atrai coisa ruim.

— Não faz esse jogo, pai.

— Lembra quando ela levou a cabeça dele para Aparecida?

— O ex-voto.

— É.

— Mas isso é uma coisa cristã, não é? Uma tradição cristã?

— Sei lá. Só sei que ela levou a cabeça para ver se ele melhorava. A intenção foi boa. Mas ele disse que, enquanto alguém não for lá e recuperar aquela cabeça, ele não vai melhorar. Disse que isso é que está deixando ele louco. Ele pediu que eu fosse até lá e trouxesse a cabeça de volta.

— E o senhor vai, não é?

— Eu fui. Mas você não pode imaginar a quantidade de cabeças que tem naquele lugar.

— E por que o senhor não pegou qualquer uma?

— Deus me livre!

— Descobre onde a mãe comprou e compra outra. Fala pra ele que o senhor foi lá e buscou.

— Eu não posso fazer isso. Não vou mentir.

— Deve ter o nome escrito, não tem?

— Se tinha, tiraram. Só tem um montão de cabeças. E se ele estiver certo?

— Não cai nesse jogo, pai.

— Não, pensa um pouco. E se ele estiver certo?

— Ele já estava ruim. Foi por isso que ela levou a cabeça. Ela nem era religiosa. Levou por desespero. Ela queria ver ele fora do buraco que ele mesmo cavou.

— Mas... ele pode ter razão. Eu não ia gostar de ter a minha cabeça lá. Se tua mãe fizesse o mesmo com você, você ficaria tranqüilo?

— Não sei.

— Pensa um pouco.

O pai vasculha a caixa.

— Lembra disso?

— Pai, não cai nesse jogo.

— Lembra?

— Eu que fiz?

Júnior apanha uma peça que fez na infância para o Dia dos Pais. Quatro caixas de fósforos dispostas na forma de uma pequena cômoda. Estão encapadas com uns rabiscos que ele mesmo riscou. Coloridos. Na borda saliente das caixas um percevejo serve de puxador das gavetinhas. Seguem fuçando. Procurando não pensar na cabeça. Boletins trazem notas medíocres e fotos de duas crianças tristes. Nessa caixa nada atesta o seu nascimento. Apenas velhas bugigangas que lembram outra vida. Outro ser. Ocupam-se com novas caixas. Papéis sem valor e tranqueiras comemorativas. Um jogo da memória, velhas cédulas e alguns velhos maços de cigarros, trazidos de viagens feitas por parentes e amigos. Uma carteirinha plastificada do Clube do Radioamador. Ingressos de partidas. Certificados de estudo. Um colorido livreto com figuras de anjos ilustrando orações. Cadernetas. Cartões. Cartinhas. Tudo ditado, textos pré-fabricados. Eu te amo, papai, do fundo do meu coração. Eu te amo, mamãe, do fundo do meu coração. Feliz Dia dos Pais. Feliz Dia das Mães. Boa Páscoa. Votos. Ex-votos.

Bruna já está seca e vestida. Passa pela porta e dá tchau.

Nada atesta o seu nascimento.

O umbigo é a única prova.

Uma cicatriz circular.

Circular e profunda.

Segunda remessa

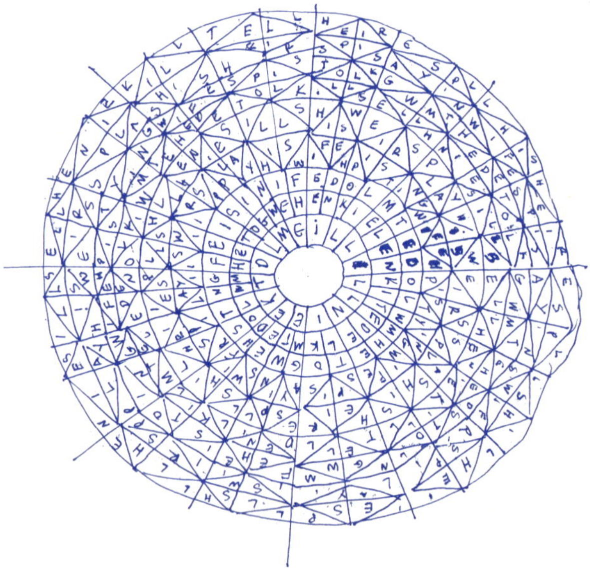

1

O interfone toca. Já é tarde, embora o neon ainda pulse zero-zero. É sexta. O pai desceu para a praia. Foi cedo. Júnior aproveitou para dormir. Tomou café com o velho e voltou para o sofá. Bruna está no trabalho ou na escola. Ele nunca guarda os horários. Pode dormir até ela voltar. Aí ele pretende desvendar o que a moça de fato sente por ele. Só os dois e um fim de semana. Talvez ela tente um novo retrato.

O interfone toca. Júnior se vira de lado. O porteiro insiste. Júnior está entorpecido. No limite entre a razão e o sono. Não quer acordar. Nada pode ser melhor do que isso. Uma idéia o traz mais para cá. Talvez seja um novo pacote.

Salta do sofá e atende.

— Pronto.

— Seu Júnior, tem um *sedec* aqui para o senhor.

— Vou descer.

Parece que o delay passou. A dor de cabeça e o medo da dor deram lugar a uma sensação de autoconfiança. Júnior parece mais ativo e saudável. Cruza com Miranda no elevador. Ela não o reconhece. Oferece o generoso decote, ele oferece o pijama listrado do pai. No hall uma loirinha traja um minúsculo short jeans e empurra um velho numa cadeira de rodas. Um velho ou o boneco de um velho. Não dá para saber. É então que ele percebe o pijama. Pega a encomenda e volta apressado. Dessa vez, no elevador só há outro eu no espelho. Uma nova caixa com destino mas sem remetente. Júnior abre afoito. Uma caixa do tamanho de uma de sapatos. Embora existam muitos tamanhos de sapatos, não há diferença no tamanho das caixas. Só os sapatos de criança possuem outra dimensão. Retira o plástico-bolha que envolve a encomenda.

Novos CDs, dois. Um recorte em papel acetinado provavelmente arrancado de alguma revista velha e um DVD duplo, importado. Uma bela edição. Um homem segura uma máquina de escrever na frente do rosto. Observando melhor, Júnior percebe que a máquina é o rosto. Ocupa o lugar da cabeça e usa um chapéu. Fora essa imagem central, duas baratas estampadas sobre o mostarda da capa. Sente uma estranha familiaridade nessa imagem, mas não sabe por quê. As mãos sustentam a máquina-cabeça. Parecem dizer algo. Procuram as teclas. Parecem tentar datilografar, desesperadamente, uma frase.

The Criterion Collection
A film by David Cronenberg
Naked Lunch
Exterminate All Rational Thought

No verso, tudo em inglês. A língua que Júnior não conseguiu aprender.

Special Edition Doublé Disc Set Features
Disc One: The Movie. Disc Two: The Supplements
1991. 115 minutes. Color. Stereo. 1.78:1 aspect ratio

Júnior abre a caixa. Um maravilhoso encarte ilustrado. Quase um livreto, trinta e duas páginas. Um besouro estilizado sob o título do filme. A imagem se repete na parte inferior. Um estranho casal posa de forma igualmente estranha na segunda capa do encarte. Um torso sob as palavras na página 4. Uma imagem desagradável na 6, parece a carcaça de um animal. Um besouro na 7. Um chapéu na 9. O velho retrato de um homem usando o mesmo chapéu da figura que tem a máquina no lugar da cabeça. Isso na página 10. Seu olhar é intimidador. O mesmo homem aparece, agora velho, apertando a mão de um monstro grotesco. Júnior põe de lado o encarte e analisa o recorte.

LIFE ON THE
NEWSFRONTS
OF THE WORLD
A rough campaign
For Secretary Rusk
Roped reindeer supper

Throneless king's new bride
Slapstick gala: Keystone Cops,
Pie-faced Sinatra
An heiress in the Casbah
Peace for a noted poet

Atrás, tons de cinza de uma foto abstraem-se. Júnior aciona o aparelho. *Hello.* Insere o DVD. Na tela da TV a mensagem: *Código de região incorreto.*

Não lê. Outra mídia, pensa. Merda! Talvez quando a Bruna aparecer ela possa ajudar. O cigarro está acabando. O dinheiro já foi. Tenta em vão um novo saldo. Ele não depositou. Zero-zero, o tempo não passa. Talvez seja preciso fazer um novo empréstimo na gaveta dos farrapos genitais. Maldiz a si mesmo. Caminha pelo apartamento vestindo o pijama listrado que o pai emprestou. Observa o vazio do buraco. Sudorese e falta de ar. Deita e é acolhido pela boa mãe. Mamãe depressão. Seria possível arrumar o relógio se o pai não tivesse perdido o controle. Tecnologia.

Talvez o tempo tenha parado de fato.

0132008601. Atuador de marcha lenta. É noite e Bruna não vem.

Júnior lê o recorte. Pensa em preparar sua mesa de tradução.

Está cansado.

Brinca de bater a quina do artigo na testa.

Adormece.

2

Vê sua mãe. Ela se aproxima do sofá, recolhe sua cabeça e sai. Nada diz. Júnior fica ali deitado e ao mesmo tempo vê a estampa do vestido da mãe pelos olhos de sua cabeça.

Acorda exausto. É sábado. Zero-zero de sábado. Bruna não voltou para casa. Confere. O quarto vazio. A cama arrumada. Sem hesitação, apanha outra cédula de cinqüenta e vai para o bar. Não está com vontade de fazer o café. Mundinho está rindo na porta. Fala com uma mulata muito bonita e sensual. Mundinho veste uma camiseta do Queen, a banda. Parece mais magro, mais calvo e doente, mas ri como se tivesse saúde.

Quando Mundinho o avista, faz festa.

— Olha quem está aqui!

— Fala, Mundinho, e aí?

Essa ele joga para a morena: e aí? A morena devolve: e aí?

Depois ela diz que precisa ir.

Beija o rosto do Mundo e acena para Júnior.

Os dois observam a partida e suspiram.

— Eu estou com vontade de comer ela de novo.

— Já comeu?

— Não, mas já tive vontade. É casada com um PM. Encrenca das grossas!

— Eu preciso trocar o dinheiro, aí eu te pago os dez.

— Firmeza.

— Você gosta do Queen?

— Não a ponto de usar uma camiseta.

— Mas você está usando.

— É que não tinha outra limpa. Essa eu uso para dormir.

— Mas estamos acordados, não estamos?

— Não dá pra saber, espero que sim. Senão apostei no palpite errado.

— Vou comprar cigarro e pegar um café, quer alguma coisa?

— Nem. Tou às pampas.

Júnior volta trazendo três maços e um copo de café. Oferece cigarro. Mundinho pega um maço e abre.

— Sabe quem passou aqui dia desses?

— Não. Quem?

— O Telles.

— Porra! Faz tempo que eu não vejo o velho Savalas! E como ele está?

— Seguiu o protocolo. Casou, engordou, separou, engordou... na rotina. Eu falei que tinha cruzado contigo. Ele falou que precisava falar com você.

— O quê?

— Ele não disse.

— E você, casou?

— Tenho meus rolos. Vivo com uma fulana.

— Tem filhos?

— Três.

— Caramba.

— Dois com uma e um com outra.

— Faz muito tempo que eu não cruzo com o velho Savalas. Vou pegar outro café, quer um?

— Traz, vai.

Júnior volta com dois copos. Paulinho Savalas, vulgo Telles, era companheiro da turma. Talvez até mais íntimo e próximo que o Horácio. Isso pode ser uma luz.

— Isso aí não parece café.

— Não, eu peguei um conhaque pra mim.

— Porra! Se tivesse falado, eu também preferia um desses. Café me dá azia.

— Vou buscar um.

— Deixa quieto.

Júnior deixa quieto.

— Mundinho, você sabe de alguém que esteja precisando de alguém para trabalhar?

— Alguém que precisa de alguém? É isso? Sempre alguém precisa de alguém.

— Você entendeu.

— Ué? Você não estava aí todo bacana, reunião e o escambau?

— Tava nada. Eu estou fodido.

— Porra, cara! Por que não falou? Não precisa ficar botando banca de bacana pra cima de mim.

— Eu estou tão fodido que achei bom alguém pensar que eu me dei bem.

— Você conhece o Castro?

— Fidel?

— Não sei o primeiro nome. Aquele que tem um bufê de criança.

— Não, não conheço. Por quê?

— Ele sempre precisa de garçom e manobrista. Às vezes eu faço uns bicos de manobrista. Ele não paga lá essas coisas, mas paga no ato.

— Porra! Garçom é foda. Eu sou meio desastrado.

— Então manobrista. Todo fim de semana tem festinha. Às vezes mais que uma por dia.

— Onde fica?

— Lá no avenidão. Dá pra ir a pé.

— Pode ser uma. Você iria lá comigo para me apresentar?

— Com certeza. Podemos até trampar juntos.

— Pode ser um jeito para eu levantar uns trocados até arrumar alguma coisa decente.

— É. E é só no fim de semana. Mesmo que você consiga outra coisa, dá pra ir levando.

— Pode crer.

— Quer dar um pulo lá agora?

— Não. Hoje não posso. Tenho umas coisas para resolver.

— Amanhã?

— Talvez.

Júnior vira o copo. Tira uma nota de dez e devolve ao Mundinho.

— Obrigado e desculpe a demora.

— Quer deixar pra me pagar depois?

— Pode ser?

— Na boa. Segura essa até você começar lá no bufê.

— Porra. Obrigado, cara.

— Que isso, meu irmão. Para que servem os amigos?

— Valeu. Eu vou nessa.

— Amanhã nós damos um pulo lá.

— Pode crer.

— Não quer mesmo experimentar o bagulho?

— Que bagulho? Ah! Nem. Valeu.

— Não quer fazer uma fezinha? De repente é daí que vem uma bolada.

— Então joga os dez aí.

Mundinho saca o bloquinho do bolso.

— O que vai ser?

— Deixa eu pensar.

— Sonhou?

— Agora não lembro, mas outro dia sonhei com cachorro e cavalo.

— Cinco e onze. No grupo.

— Cinco onze, é uma boa centena.

— Final onze?

— Final onze.

— E pra completar o milhar?

— Bota zero na frente.

— Zero cinco onze, quinhentos e onze. Belo milhar. Valendo do primeiro ao quinto? Milhar e centena?

— Não. Joga seco. Na cabeça.

— É assim que eu gosto. Na cabeça. Se ganhar, você quebra a banca.

3

Banca por banca, Júnior passa na de jornal para ver as capas. No caminho, três comia e várias mandava para a forca. Nenhuma casava. Passa uns vinte minutos só olhando as imagens. Lê as manchetes dos jornais que estão pendurados. 0332019157. Relé auxiliador 12 volts. Depois caminha para casa. A Bruna talvez tenha voltado. Deve ter passado a noite na casa do Paulo da agenda. Tudo bem, ele não quer casar. Só espera que o casal da agenda use camisinha. Só faltava agora ele pegar uma dessas doenças.

O único trago o deixou sem norte. Não devia ter bebido tão cedo e de estômago vazio. Justifica-se. Agora ele ri enquanto caminha. Manobrista. Manobrista, o caralho. Até parece que isso é coisa para ele. Não nasceu para isso. Ele é o homem das planilhas. Aprendeu a mexer com

Excel. Não vai andar para trás. Garçom? Piorou. Ele não vai servir ninguém. Que se fodam todos. Uma idéia vem ocupando sua mente. Será que ele realmente precisa voltar a trabalhar? Por que não ir levando, empurrando? Enrolando o pai. Onde come um comem dois. Não há motivos para reconstruir sua vida. Deixa estar. Enquanto houver o sofá e as reservas de Bruna, para que trabalho? O porteiro leva quase um minuto para abrir o portão. Feito o microondas para esquentar as sardinhas. Que, aliás, nem eram tão boas. Devia estar distraído ou pensou que era o Nuno. Sobe. Entra. Apanha um copo no armário e caminha até o pequeno bar particular. Confere. Aperitivo de alcachofra, um vinho tinto, a garrafa com pirata no rótulo. Duas do interior de Minas. Pinga. Atrás do acervo, na flanela, o Taurus 38, municiado.

Resolve continuar na aguardente. Até para beber é preciso ter sabedoria. Serve um copo da cana extraída de uma cidade histórica. Cidade histórica! Qual é a cidade que não tem história? Isso é marketing para vender pinga, filosofa. Mas é boa a danada. Bebe e fuma. Trôpego, volta para o sofá. Deve haver ovo. Isso garante o almoço. Se não tiver, também que se foda. Eu tenho dinheiro. Vou lá e compro. Ou como um pê-efe na rua, assim nem preciso lavar a louça.

E se a Bruna tiver ido ver os pais em Avaré?

Avar é. Como naquele velho álbum de figurinhas.

Avar é andar de mãos dadas.

Avar é dividir os pecados.

Pensa em ligar para o filho. Falta coragem. Não tem nada para dizer. Sempre foram distantes. No fundo é só um garoto. Nunca desenvolveu esse vínculo. Só não quer que o garoto se resfrie. Não quer que o menino saia descalço do banho. O Caio assistiu ao patético desfile. Viu o pai ser humilhado e não reagir.

Atestou o fracasso do pai.

Foda-se também.

9001083432. Garfo da partida.

4

Toca o telefone. Sabe que não é para ele.

Vira outro copo.

Deixa tocar.

Insistem.

— Alô.

— Boa tarde. Com quem eu falo?

— Quer falar com quem?

— O senhor possui o sistema de filtros Europa?

— Eu não possuo nada, minha senhora.

— O senhor sabe da importância de se beber uma água bem tratada e livre de impurezas?

— Eu bebo da água-que-passarinho-não-bebe, dona.

Desliga.

Bruna abre a porta.

— Olá.

— Oi. Pensei que você tivesse ido para Avaré.

— Nem. Dormi na casa de uma amiga.

— Olha, chegou outra caixa.

— Nossa! *Naked lunch*! Esse filme é muito classe.

— É, mas não roda.

— Você já assistiu?

— Não. Nunca.

— É muito louco.

— Sobre o que é?

— É daquele livro daquele cara beat, não lembro o nome dele agora... deixa eu ver, deve ter aí na capa do DVD.

Bruna senta ao lado de Júnior. Suas coxas se roçam. Júnior suspira. Sente que é um sinal. Sinal de um gratificante fim de semana. Vai fechar com chave de ouro.

— Aqui! William Burroughs.

— Ah!

Júnior finge que já ouviu falar.

— Mas sobre o que é a história?

— Eu nunca assisti também.

— Ué? Do jeito que você fala, parece ter visto.

— É que é um filme cult. E todo mundo fala bem desse filme.

— Ah, bom... então vou falar também. Olha, tem esse novo recorte.

Bruna pega, mas devolve antes mesmo de ler.

— Eu só vim tomar um banho e mudar de roupa. Estou com pressa.

— Vai sair de novo?

— Vou voltar pra casa da minha amiga.

Amiga. Então é isso que sente por mim?, concatena. Pois saiba que eu também não te quero. Não tanto assim. Poderia observá-la se trocando. Poderia desvendar sua nudez, mas não vou. Vou ficar aqui. Eu também não preciso de você. Garota, menina, criança mimada. Quando sair, para a casa da amiga, vou pegar mais do teu dinheiro. Você vai patrocinar a minha derrota. Foda-se. É isso que se ganha em querer bem. Então não te quero. Não te quero bem. Você é igual a tudo. A gente só pensa que quer. No fundo, tanto faz. Não faz diferença. Eu sinto desprezo por você e por tudo. Fodam-se.

Serve outro copo.

Apanha as coisas que vieram na caixa e joga no lixo.

Bela bosta.

O Horácio também, que se foda.

Uma furiosa Bruna surge vestida. Traz mochila nas costas.

— Você está bêbado?

— Eu tô legal...

— Você andou mexendo nas minhas coisas?

— Eu? Eu não. Por quê?

— Porque mexeram nas minhas coisas.

— Deve ter sido você mesma...

— Se não foi você, só pode ter sido seu pai. Mas eu não acredito nisso.

Bruna anda em círculos com as mãos na cabeça. Parece profundamente transtornada.

— Eu não acredito!

— O quê? Sumiu alguma coisa importante?

— Sumiu.

— Quem te garante que não entrou alguém e mexeu nas tuas coisas?

— Eu vou falar com ele. Eu quero o meu dinheiro de volta!

— Pode falar. Eu não mexi em nada. Nadinha, nadinha, nadinha... Não peguei uma agulha.

— Então foi ele? Só pode ter sido. Mas ele nunca mexeu nas minhas coisas.

— Claro! Ele não tinha em quem pôr a culpa. Agora é fácil. Tudo o que dá errado fui eu.

— Pegaram meu dinheiro. Isso é crime. Eu quero o meu dinheiro de volta. Se foi você, pode falar.

— Você está certa. Tem toda a razão...

— Eu quero o meu dinheiro de volta!

— Vai ver você perdeu e quer pôr a culpa em alguém.

— Isso não vai ficar assim. Eu não vou discutir com você agora porque você está bêbado, pra variar. Eu sei muito bem como você fica quando bebe. A gente se fala depois. Eu quero o meu dinheiro.

— E eu quero o meu...

— Sumiu dinheiro seu também?

— Não sei. Não tenho tanto apego assim que nem você.

— Olha! É bom você não me provocar agora porque eu estou puta da vida!

— Foi mal...

— Eu vou, porque preciso ir. Quando eu voltar, meu dinheiro vai ter que aparecer.

— Deve ser só um mal-entendido. Às vezes a gente gasta e nem percebe.

— Isso. Continua bebendo. Você vai acabar morrendo desse jeito.

— Você acha que, se eu não beber, eu não morro?

— Chega, vai.

— Você devia prestar mais atenção onde guarda suas coisas.

— O que você quer dizer com isso?

— Você perdeu a porra desse dinheiro e agora quer pôr a culpa nos outros.

— Nós vamos ver. Continua bebendo. Isso vai te ajudar muito. Você vai ficar muito bem assim.

— Eu bebo pra ficar ruim, se quisesse ficar bom eu tomava remédio. Não é assim o ditado?

— Eu preciso ir. Isso não vai ficar assim. Meu dinheiro vai ter que aparecer.

— Vai.

Ela vai. Poderia ser diferente.

Poderia ser diferente?

Sábado.

Mais um.

Júnior tenta levantar, mas falta equilíbrio.

9001140384. Rolete lado motriz.

Volta a sentar.

5

Anoitece. Desperta ouvindo o que mentalmente proferiu ao apagar. É o mendigo. Júnior parece ter compreendido o que ele fala. Parecia a maldita frase. *Heir's Pistol Kills His Wife; He Denies Playing Wm. Tell.* O outro desgraçado. Por que não abrir suas portas? Por que não acolher? A casa não é sua, mas Júnior não acredita mais em propriedade. O que tem a perder? Um desenho? Uma natureza-morta rabiscada a carvão? Tudo se esvai. Tudo é ex. Talvez sua mãe tenha levado sua cabeça também. Faz sentido. Quando nada faz sentido. Talvez seja preciso encontrar sua réplica amontoada entre outras réplicas de aflitos. Falhamos. Devemos admitir que falhamos. Embora Júnior saiba que fracassou, não percebe que não foi o único.

Bastaria talvez perceber isso.

Somos uma piada grotesca.
Um equívoco.
Júnior não consegue se erguer.
Tudo roda.

Filho ruim também retorna

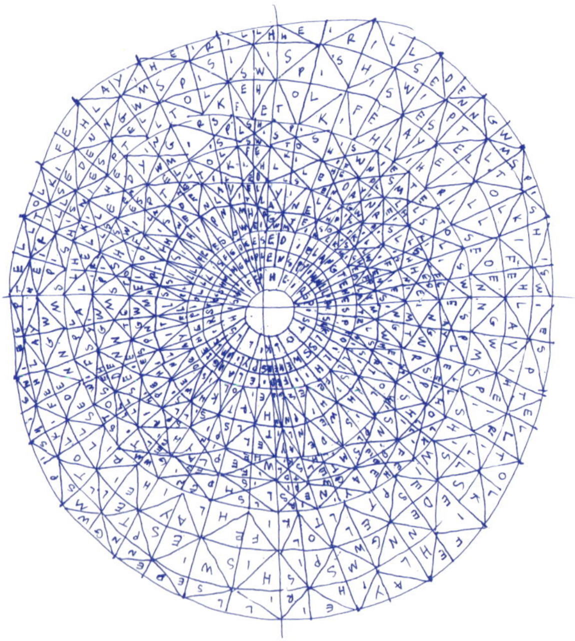

1

Ouve a ladainha do pai. O tema. Não pode ser segunda. Não pode ser. Zero-zero de segunda. Dormiu o domingo. Levanta. A cabeça parece esmagar o cérebro. Corre para o banheiro. Pontos luminosos brilham. Não consegue acertar o vaso a tempo. Ouve a ladainha do pai. Pontos luminosos brilham, provocando náusea. Corre para o banheiro. Não consegue parar. Deita no chão frio.

— Pai! Pai! Eu estou passando mal!

Ninguém responde.

— Pai! Me ajuda!

A musiquinha segue.

— Pai!

Com esforço e com o amparo dos azulejos cor-de-rosa liga o chuveiro e entra. A água está fria. Gelada. Água fria na cabeça quente. Agacha-se. Observa a água que escoa pelo ralo. Entra no banheiro e se arrasta pelos azulejos cor-de-rosa. Liga o chuveiro e se agacha, recebendo o golpe de água fria. Delay. Déjà-vu. Percebe que não há toalha. Precisa reparar o estrago. Limpar o vômito e cobrir o desfalque. Vai ter que encarar o pai. Não agüenta mais essa condição. Não quer mais ser tratado como um garoto. Cogita manobrar carros. Evoca Horácio. Precisa sair dessa. Está afundando. Puxa o tapete para dentro do boxe e lava ali mesmo. Puxa o tapete. A cabeça não alivia. Seca os cabelos na blusa do pijama. Sai carregando o tapete e o corpo que pingam. Escorrega no chão da cozinha, mas não cai. Não cai pois já tinha visto a cena. Sabia que iria escorregar. Sabia o que iria acontecer. Mesmo assim não pode evitar por completo. Não caiu, mas escorregou. Apanha uma toalha no varal. Puxa com força até o pregador se desprender. Não quer baixar o varal. Suspenso rente ao teto. O teto de um apartamento é o subsolo do outro. Pensa. Eu estou no inferno do andar de cima. Quem vive embaixo é o meu. Puxa a toalha até o pregador se despregar. Percebe que no prédio ao lado, um andar acima, uma mulher observa a sua nudez. Sem graça, enrola a toalha. A cabeça lateja mais forte. Na cozinha procura aspirina. Acabou. Vai ao quarto do pai pegar suas roupas. A cena toda se repete. Escorrega, apanha a toalha, alguém observa a sua nudez. Precisa de algo para aliviar a dor de cabeça. Não conseguirá agüentar. Parece de fato segunda. Zonzo de dor, acomoda a cabeça sobre o travesseiro do velho. Precisa sair. Precisa fazer alguma coisa. Precisa de algum lugar para onde fugir. A cabeça piora. Por sorte, não há mais nada para vomitar. Escotomas cintilantes ocupam o campo de visão. Precisa ao menos dormir, mas a dor não deixa. Precisa sair da cama do pai, mas não pode. Ouve a porta da sala. Levanta o torso e senta na cama.

— Júnior?

— Aqui.

O pai não ouve.

— Júnior!

— Estou aqui.

Dói falar. Nesse volume o pai não escuta.

Quando entra no quarto e avista o filho, se assusta.

— Ué? Por que não respondeu quando chamei? Que está fazendo aí?

— Eu estou morrendo de dor de cabeça.

— Dói muito?

— Muito, muito, muito...

— Pegamos um tempo de merda. Nem deu praia.

— Que horas são?

— Duas.

Realmente são duas. Para Júnior é noite de sábado, para Sênior tarde de segunda. Não há para onde correr. Não pode estar em casa quando Bruna voltar do trabalho ou da escola. Se ao menos soubesse onde mora o Savalas.

— Pai, eu preciso deitar um pouco no escuro. Não estou agüentando essa dor.

— Se não for enxaqueca, é ressaca. Eu vi a garrafa na mesa da sala.

— É. Eu bebi.

— Se fosse sólido, comê-lo-ia. Lembra?

O pai procura brincar. Há uma expressão desconcertante no rosto de Sênior. Preocupação?

— Lembro. Jânio.

— Deita aí. Aqui é mais sossegado e escuro. Vou te deixar descansar. Tomou alguma coisa para a dor?

— Não, a aspirina acabou.

— Vou até a farmácia e trago mais.

O pai apanha alguma coisa na gaveta superior do criado-mudo. Algo que os escotomas não permitem identificar, e sai. Ao sair, encosta a porta. Júnior cerra os olhos, mas isso não apaga a teicopsia. Bolinhas luminosas dançam e estouram, serão substituídas por uma dor ainda maior. Júnior estranha a generosidade do pai. Oferecer a cama e ainda ir à farmácia para remediar sua dor. Começa então a reconhecer tudo o mais que Sênior tem feito por ele. O abrigo, o amparo.

Sênior joga pelas regras do jogo e só quer que o filho faça o mesmo. Mas Júnior não quer mais jogar. Cansou de perder. Está disposto a criar novas regras. Um novo jogo. Precisa esperar a enxaqueca passar. Não consegue dormir. Agora parece que agulhas perfuram suas têmporas. Sente o coração, taquicárdico, bater na cabeça. Pensa no filho descalço pisando no chão do banheiro. Pensa em Caio, que também tentou fugir mas não teve para onde ir.

Sênior volta trazendo água e remédio.

— Olha, o menino da farmácia recomendou esse. Disse que é específico para enxaqueca.

— Me dá.

O pai estende a cartela. Júnior joga dois para dentro. B-23. Acha curioso o nome do medicamento.

— Vou te deixar aí descansando.

— Pai.

— Quê?

— Obrigado.

O velho volta e beija a testa do filho, que é pai mas não pode beijar seu filho. Júnior agora assume o papel de coitado. Sente pena de si mesmo. Sofre pelo filho. A dor é lenta e gradualmente substituída por sono.

2

Júnior desperta. A dor passou. Ou ele se acostumou com ela. Agora no lugar da dor e do sono vem a euforia. Sente-se bem. Bem-disposto. Remedinho bom esse, pensa. Sente o corpo revigorado. Chama pelo pai. Ninguém responde. Deve estar na tal Lurdinha. Essa tal Lurdinha talvez nem exista. Por que nunca vem aqui? Só meu pai a vê? Precisa pedir para o pai apresentá-la. Calça os sapatos. Precisa correr. Não pode cruzar com a Bruna. A Bruna existe. Existe, embora não seja palpável. Não para ele. Talvez só para o Paulo da agenda. Confere os trocados que guardou na carteira. Parece que o tempo virou. Finalmente. Já era tempo de outono. Júnior gosta dos dias cinzentos. Júnior aciona o elevador. Ganha as ruas. Lembra da aposta. Muda o rumo para o bar do Mundinho. Quem sabe não deu na cabeça? O milhar. Quinhentos e onze era centena, mas ele botou o zero na frente. Avista Mundinho de longe.

Dessa vez é ele quem faz festa.

— E aí?

— E aí?

— Deu ou não deu?

— Eu não dei nada.

— Não. O milhar.

— Deu, nada.

— Porra! Eu pensei que a sorte ia mudar.

— Não foi dessa vez. Quem sabe não é hoje? Vamos repetir?

— Não. Deixa pra lá.

— Quer dar um pulo no bufê?

— Hoje não posso. Tenho que ver umas coisas.

— Você que sabe.

— Vou tomar um café. Quer um?

— Café?

— É, café mesmo.

— Não, obrigado. Me dá azia. Quer dar um pulo no bufê depois do café?

— Você acabou de me perguntar isso.
— Perguntei?
— Acabou de perguntar, não lembra?
— Não lembro a resposta.
— Hoje eu não posso.
— Me dá azia.
— O quê?
— O quê, o quê?
— O que te dá azia?
— Café.
— Sei... Às vezes não parece que tudo se repete?
— Tudo se repete.
— É estranho. Outro dia eu falei com um tiozinho num bar e sabe o que ele falou?
— Que tudo se repete?
— Não, ele falou que a realidade não o convence.
— Não vai me dizer que te convence?
— Cada vez menos. Eu preciso ir.
— Beleza.

Júnior bebe o café no balcão. Dá um tapa no ombro de Raimundo e segue, apressado, sem saber para onde. Resolve passar no banco e tentar um empréstimo no caixa eletrônico. Antes puxa o saldo, e para sua surpresa há um depósito de mil e trezentos reais na conta. O valor de seu ex-salário. Pelo visto Marco resolveu cooperar. Esperava mais do antigo amigo, mas no momento isso está bom. 9231086056. Tampa do distribuidor. Sua "exposa" sempre ganhou mais que ele. Era coordenadora de projetos culturais numa ONG no Itaim Paulista. O último bairro da zona leste de São Paulo, divisa com Mogi. Na época em que entrou para essa entidade, surgiram boatos de que ela havia se envolvido com um rapaz que fazia dança de rua. Ela negou. Júnior acreditou. O moleque só tinha dezessete anos. Hoje a interpretação de Júnior seria diferente. Quando ele retira as notas da boca do caixa eletrônico, talvez valvulado, a euforia aumenta. Infelizmente a cena não se repete. As notas só saem uma vez. Enche a carteira. Até sua postura muda. Ele parece crescer uns centímetros, em todos os sentidos. Quando sai da agência, lembra da promessa. Como numa telenovela ouve sua própria voz em off: *Assim que eu receber o primeiro salário, vou pôr o seu desenho num quadro.* Precisa gastar o dinheiro para sentir que voltou a fazer parte da sociedade. Integrar-se. Entra numa loja de calçados. Observa os modelos. Não são caros. Para quem guarda mil reais na carteira. Gostou de uma botina. Parece de couro. Coisa para longas caminhadas e para escalar montanhas. Cento e vinte e cinco reais. Prova um modelo, envergonhado com o estado de sua meia, mas isso agora não importa. Vai pagar à vista e em dinheiro vivo. Novamente o atendente se abaixa e ajuda Júnior a calçar as botinas. Diz isso para impressionar o vendedor. E impressiona. O vendedor disse que caiu muito bem. Combina com o terroso de suas roupas. O vendedor tenta, agora, empurrar também um chinelo, e tênis, meias e outras coisas que se enfiam nos pés. Júnior só leva a bota, e um par de chinelos. Precisa voltar na Fidalgo e comprar mais umas mudas de roupa. Quer rever a vendedora. Essa talvez não tenha um Paulo na agenda. Dessa vez vai comprar umas roupas em tons de musgo. Sai carregando com orgulho a sacola. Essa caixa de sapatos faz sentido e tem procedência. Ele conhece o remetente. Entra num bar e pede um churrasco com queijo e uma cerveja. Mastiga com força. Se o solado da bota for resistente igual a esse bife, fez um bom negócio. Mesmo o bife sendo duro e a cerveja morna, deixa cinco reais de caixinha. Segue caminhando. Nada se repete. Passeia pelas ruas olhando vitrines. Pára na frente da livraria Peruíbe. Olha as capas dos livros. Talvez devesse ler. Lembra do DVD que jogara no lixo. Aquele que a Bruna falou que era bom. Baseado num livro. Talvez fosse o caso de ler. Quem sabe não compreende as charadas. Talvez assim descubra quem as manda e por quê. Entra.

— Boa tarde. Posso ajudar?

— Boa tarde. Eu estou procurando um livro que depois fizeram um filme. Não me lembro o nome do autor. Acho que é um autor russo.

— Vamos ver no sistema. Qual o título?

— Eu não lembro...

— Sabe a editora?

— Não. Eu nunca vi o livro, mas a capa do filme é um homem com uma máquina de escrever no lugar da cabeça.

— Só um minuto. Paulo!

Será o da agenda? O vendedor vai até o tal Paulo, que está ocupado, e conversa com ele. Ele vem.

— Pois não?

— Eu estou procurando um livro que deu origem a um filme.

— Pode falar.

— Eu só sei isso. Além de que a capa do DVD era um homem com uma máquina de escrever na cabeça.

— Não lembra o título?

— Agora me foge.

— Sabe por qual editora saiu?

— Não.

— O nome do autor?

— Russo.

— Russo de quê?

— Da Rússia. Eu acho. Eu acho que era um nome russo. Tem algo a ver com os Beatles, me parece.

— *O quinto Beatle*, é esse?

— Não. Eu não sei o título em português.

— Deixa eu pensar um pouco. Você sabe pelo menos a história?

— Eu sei que é um filme cult.

— Sobre os Beatles ou com os Beatles?

— Acho que é... sobre. Ou com... Deixa pra lá. Vou descobrir o título, depois eu volto.

— Não quer levar outro livro?

— Não. Eu volto amanhã. Obrigado.

A Bruna sabe o nome. Caso o lixeiro tenha passado. Passa na Fidalgo. Compra cuecas, meias e mais duas camisas. Duzentos e trinta e dois reais. Paga em dinheiro. Mais sacolas, maior amor-próprio. Dá uma passada no bar e brinda com dois conhaques. Passa no mercado e faz uma comprinha para o pai. Pão de fôrma, queijo prato, presunto. Compra uns biscoitos de sequilhos que o pai costumava comer. Uma pizza congelada e um nhoque que é só esquentar. Molho de tomates, peneirado. Queijo parmesão. Uma garrafa de vinho tinto fabricado no sul. Volta sorrindo. Acomoda as sacolas sobre a mesa da cozinha.

3

— Melhorou?

— Ô pai! Estou bem melhor. O remédio é ótimo. Vou tomar mais um para garantir.

— Que bom. O que tem aí?

— Fiz umas comprinhas. A Bruna já chegou?

— Não, por quê?

— Por nada.

O pai confere as compras.

— Coisa boa esse vinho.

— É para o senhor. Para acompanhar o nhoque.

— Delícia. E esse queijo ralado é dos bons.

— É parmesão legítimo.

— Foi na Fidalgo de novo?

— É. Fui.

— Arrumou trabalho?

— Arrumei, sim senhor.

— Que bom! Graças a Deus! Onde?

— É uma firma pequena. Na verdade só vou prestar assessoria. Não preciso ir todo dia. Eu é que faço o horário.

— Então não é um fixo?

— É um fixo, mas é flexível.

— Fico feliz, meu filho. Quem sabe agora você não põe o barco para correr, não é mesmo?

— Agora vai que vai.

O pai parece desconfiado. Confuso.

— Vamos passar um café fresco?

Júnior assente com a cabeça enquanto engole mais um comprimido por precaução. Júnior olha para o relógio que fica sobre o fogão e que no lugar dos números traz desenhos de frutas e legumes. Seriam ainda quinze para as sete, bananas para as uvas, ou esse relógio está parado também?

— Está certo esse relógio?

— Não. Acabou a pilha. Falta um quarto para as nove.

— Vamos fazer o nhoque?

— Não, dia de macarrão é domingo e eu estou indo comer na Lurdinha.

— Eu queria conhecer a Lurdinha.

— Vocês não se conheceram ainda?

— Não.

— Ah! Que mancada! Vamos lá qualquer hora. Só não te chamo agora porque ela é muito vaidosa. Adora receber visitas, mas gosta de saber quando virão.

— Claro. Certa ela.

— Quer jantar lá amanhã?

— Se não for dar trabalho.

— Ela vai adorar.

— Ela gosta de chocolate?

— Toda mulher gosta de chocolate. Por quê?

— Assim eu levo uma caixa de bombons.

— Quanta gentileza...

O pai diz isso de forma a demonstrar sua suspeita. Quer deixar subentendido que o papo do filho não o convenceu. Quer mostrar que de nada valeu toda a mise-en-scène. Bombom e parmesão, vinho tinto e boa roupa. Talvez o filho esteja enveredando pelos caminhos do dinheiro fácil, como o irmão. Crédito fácil e descrédito irreparável. O pai não vai manchar sua honra perdendo outro filho para a custódia da lei.

— Esse seu novo emprego parece muito bom.

— É, sim, pai.

— Nem começou e já pegou uma bolada.

— Isso é só o começo, pai. Minha vida vai dar uma guinada.

— Você entendeu minha preocupação quanto a você ter sua própria economia, seu sustento, seu trabalho, não é mesmo?

— Claro, pai.

— Se você não conseguir algo... como posso dizer?

— Fixo?

— Não. Seguro.

— Sei.

— No amplo sentido da palavra.

— Seguro, claro.

— Então. Eu não me importo se você demorar até conseguir um trabalho honesto, me entende?

— Claro.

— Eu só não quero te ver aí largado no sofá o dia inteiro. Porque onde come um comem dois.

— Entendi.

— Então, vê lá se não faz besteira.

— Que besteira, pai?

— Ninguém ganha dinheiro fácil. Não de forma honesta.

— O que o senhor está querendo dizer? Acha que eu roubei? É isso?

— Eu não falei isso. Além do mais, saiu uma parte de um dinheirinho que eu estava esperando.

— Só que, do jeito que o senhor fala, parece que eu roubei o dinheiro.

— Eu não sei como você conseguiu e, para falar a verdade, não quero saber. Só não quero que você faça besteiras e se meta em encrencas.

— Eu não ganhei esse dinheiro hoje. Isso é parte das minhas reservas.

— Não adianta, não é mesmo?

— Não adianta o quê?

— Deixa pra lá. Vou subir.

— Não, diz o que não adianta.

— Jogar limpo com você.

— O que o senhor está insinuando?

— Eu vou comer. Dá licença.

Sênior ameaça sair, mas volta.

— Ah! Eu achei sua certidão de nascimento.

— É mesmo? Onde está?

— Esse é o problema... eu encontrei, mas não sei onde enfiei...

— Uma hora o senhor acha.

Embora o pai pareça desconfiado, tudo corre de maneira perfeita. O pai vai jantar na Lurdinha e provavelmente vai pegar no sono assistindo a algum filme ruim. Isso dá tempo para Júnior acertar as coisas, as contas com Bruna, e, quando o pai voltar, estará tudo reparado. Ele não pretende dizer que pegou o dinheiro. Dirá que não quer que ela leve prejuízo e muito menos que levante esse assunto. O pai pode ficar preocupado. Assim ele cobre o desfalque porque é generoso e desprendido. Assim Bruna recupera o patrimônio e em troca guarda suas suspeitas. Depois é só tratar de convencer o pai de que arrumou um trabalho honesto. É só pegar leve. Talvez se ofereça para ir até Aparecida com o pai para procurar a cabeça do irmão. Está começando a se adaptar a essa nova rotina. O remédio começa a entrar em sua corrente sanguínea. Encontra dificuldade em equilibrar-se. Recorre ao sofá, seu abrigo. Não entende como dois simples conhaques podem produzir tamanho efeito. Não associa à ingestão dos comprimidos. Sente o coração disparar. Palpitação e arritmia. Temendo uma nova enxaqueca, volta para a cozinha e joga mais um para dentro. Sua frio. A percepção do tempo parece alterada. Não é o conhaque, é ele. O tremor nas mãos é intenso. Abstrai-se em detalhes que nunca pôde acessar. Os poros de sua pele. Contempla a mão direita, que irradia minúcias extremamente nítidas e multicoloridas. Os pêlos nas costas das mãos parecem muito mais espessos e negros. Quando as compara, as mãos parecem assimétricas. A direita parece maior e mais velha. Grossos fios negros como petróleo. Os poros dilatados. Manchas e pequenas sardas que nunca havia percebido. No punho veias azuladas parecem se estufar. Outros vasos são verdes e alguns arroxeados. Surgem mais manchas ocre. O nó das juntas dos dedos é bastante vincado. Sulcos profundos. Enquanto contempla sua mão, uma gota de suor escorre por seu nariz e explode no dorso da maior e mais velha, a direita, dividindo-se em inúmeras gotículas. Algumas partículas ficam presas aos pêlos. Percebe a irregularidade de suas unhas lustrosas. Diante do pavor de um novo mundo revelado, corre até o banheiro para ver seu rosto no espelho. Esses não são os seus olhos. Raios vermelhos despontam na íris. Pontos escuros e um mórbido verde. Um castanho esverdeado cingido de riscas vermelhas. A pupila parece um buraco. Quase cola o rosto ao espelho. No fundo das pupilas que se dilatam, o rosto reflete-se em minúscula silhueta. Os cílios são ralos nas bordas das pálpebras. Pálpebras que parecem rasgadas. Uma carne viva aparece nas extremidades. O globo, de um branco leitoso, acinzentado, é riscado por incontáveis arabescos vermelhos. Aproxima-se ainda mais, procurando ler o que parece hebraico. Há algo realmente escrito nesses vasos, mas é indecifrável. Com a ajuda dos dedos separa as pregas dos olhos. Arregala. No interior da cavidade, essa carne que se assemelha a uma bisteca de porco crua, riscos hachurados em vermelho ainda mais vivo. Nas pequenas veias, frases. Parece distinguir uma palavra na flexuosa, minúscula e avermelhada artéria ocular. *Heirs. Heirs. Heirs Pistol Kills...* No nariz surgem incontáveis capilares. Em cada vaso um dizer. HEIRSPISTOLKILLS. Há algo irreal nessa carne. Percebe cada mínimo ponto da barba que atravessa a pele. Percebe um chumaço de pêlos grotesco a escapar das narinas. Pêlos despontam do interior da orelha. Algo feito de pêlos parece querer brotar de dentro dele. Desse corpo que parece ora cera ora borracha. Sente a pressão no interior de cada um desses incontáveis canudos. Ouve o surdo som das cavidades. Meme. O pulsar oscilante da existência. O negro de um fotograma projetado para provocar, graças a nossa deficiência, a ilusão do movimento. Ser e não ser. Sou e não sou em alternância contínua. Sente que a tal explosão que originou o universo ainda se expande. Sente o calor que dela emana e se propaga. Percebe que o universo ainda não está concluído. Segue. Irradia. Experimenta, novamente, aquela sensação de estar muito próximo de uma compreensão plena. Atinge o limiar convulsivo. Os músculos se contraem. O corpo parece querer voltar para dentro. Não para o útero, mas para si mesmo. Não consegue firmar a cabeça. O pescoço provoca um movimento involuntário e contínuo. A visão fica turva. Não sente as pernas. Cai. Tudo some. Um novo ataque o protege da realidade.

4

Retorna como se houvesse estado ausente por uma longa década. Demora a compreender o chão do banheiro e o azulejo rosa. Sente uma dor forte no abdome. Um vazio na cabeça.

Com ajuda da maçaneta consegue firmar os joelhos. Amparado na pia, impulsiona as juntas e num movimento de alavanca se levanta. Ao abrir os olhos, percebe o brilho intenso refletido pelo piso. Observa a desigualdade cromática de cada um dos azulejos rosados. O abdome se contrai em espasmo. Ouve a porta da sala. O trinco da porta gira. Toma impulso escorado na pia. Pela voz é Bruna. Ela vai direto ao banheiro e percebe a porta trancada. Ele ouve a voz que temia.

— Seu Zé?

— Sou eu, Júnior.

Silêncio. Júnior saca a carteira do bolso, ela escapa e desaba em câmera lenta. Júnior assiste à cena quatro vezes seguidas. Quando, por fim, se abaixa e apanha a carteira, retira duas notas de cinqüenta. Passa as notas pelo vão da porta. Feito a boca do caixa, faz surgir do outro lado, rente ao chão, o dinheiro. Move as notas para chamar a atenção de Bruna.

— Olha aqui, Bruna. O dinheiro.

— Então foi você?

— Não, mas não quero que você fique com o prejuízo.

Bruna puxa as cédulas.

— Bruna, eu também não quero que você levante esse assunto com o meu pai. Do jeito que anda baixa a minha moral, ele vai acreditar que fui eu quem pegou o dinheiro.

— E quem foi?

— Eu não sei. Não importa.

— Claro que importa.

— Vamos encerrar este assunto.
— E se acontecer de novo?
— Eu cubro o desfalque.
— Generoso você, hein?
— Não seja sarcástica.
— Dessa vez eu vou deixar quieto, mas, se voltar a acontecer, eu chamo a polícia.
— Eu te agradeço.
— Tenho uma coisa para você.
Bruna repete o movimento do caixa e passa por baixo da porta uma folha de papel.
— A Letícia respondeu o e-mail.
Júnior confere o papel impresso.
— Ela matou a charada.
— Matou?
— Não leu?
— Estou lendo agora.
— William Tell. Ele matou a esposa brincando de acertar a maçã que estava sobre a cabeça dela. Na verdade nem era uma maçã, era um copo. A Letícia descobriu que essa matéria é de quando o escritor William Burroughs matou a mulher. Os dois estavam chapados. Ela colocou um copo sobre a cabeça e desafiou o marido a acertar. Burroughs era um excelente atirador. Só que dessa vez ele errou. A palavra *herdeiro* é porque o avô de Burroughs foi o inventor de um cilindro que possibilitou a criação da máquina registradora. Sabe aquela? A caixa registradora? O avô dele desenvolveu uma empresa que se tornou uma multinacional que fabricava essas máquinas e outras com esse mesmo sistema. Então Burroughs, o neto, é o herdeiro. Herdeiro da Burroughs Adding Machine Company mata a esposa com um tiro na cabeça brincando de Guilherme Tell. É isso.
— Será?
— Claro. Ela viu na internet. Encontrou a matéria. É essa mesma. Com data de 8 de setembro de 1951.
— É, tá escrito isso aqui... *Daily News*, sábado, setembro de 1951.

— Ela está traduzindo a matéria.

— E ela achou tudo na internet?

— Eu vou fazer alguma coisa para comer. Estou morrendo de fome. Você já jantou?

— Não.

— Então vai ser o meu convidado.

— Eu fiz uma comprinha. Tem uma pizza no freezer.

— Oba! Pode fazer?

— Claro.

Ele ouve o andar saltitante de Bruna. Feliz feito criança. Dobra a folha e guarda no bolso. Tudo parece voltar a sua ordem. Não há mal que sempre dure, diria seu pai. Pensa isso apenas em relação ao problema do empréstimo. Lava o rosto. Confere o espelho. Alegra-se ao se certificar de que o mundo perdeu aquela nitidez. Destrava a porta e, amparado à parede, alcança a cozinha. Bruna faz uma pose indecente ao colocar a pizza no forno. Quanto à frase do jornal, no fundo Júnior sente que toda essa descoberta de nada serviu. Para ele a frase continua sendo um mistério sem solução. Cada vez mais, tem a certeza de que a tal frase só fará sentido para ele. Há algo particular nessa frase. Sua compreensão não é semântica, é abstrata. Quando enfim ele conseguir decifrar.

— Nossa! Você tá legal?

— Mais ou menos. Por quê?

— Está pálido.

— Eu tive aquilo de novo.

— O ataque?

— É.

— Precisa ir ao médico.

— Preciso.

— Deixa eu ver suas mãos.

Bruna se aproxima e segura suas mãos.

— Nossa! Estão muito frias.

— Quando eu era vivo, elas eram mais quentes.

Bruna sorri.

— Cadê o seu pai? Foi ao bingo?
— Não. Na Lurdinha.
— Que pena.
— Por quê?
— Senão a gente podia fumar aquele baseado.
— Mas ele demora.
— Não. É melhor não arriscar.
— Acho que dá tempo.
— Não. Eu tenho medo por causa do cheiro.
— Se quiser um vinho, eu também trouxe.
— Branco?
— Não. Tinto.
— Eu prefiro o branco. Só que tem um problema.
— O quê?
— Me deixa excitada.
— Deixa?
— É. Vamos mudar de assunto.
— Por quê?
— Lá lá lá...

Bruna imita a menina que foi. Sorrindo, tapa os ouvidos e canta.

— Que tal a gente comer na sala, assistindo TV?
— Acho ótimo.
— Você põe a mesa?
— Claro.

Júnior apanha dois pratos, talheres e, como não há guardanapo, arranca duas folhas de papel-toalha e dobra de forma triangular. Quando chega à mesa da sala, grita:

— Você sabe onde estão as toalhas?
— Calma! Não precisa berrar!
— Desculpe. Eu berrei?
— Berrou. Devem estar aqui, em alguma gaveta.

Júnior arruma a louça e volta para a cozinha.

— Ih!

— Que foi?

— Só tem essa toalha aqui. É de Natal.

— É linda. Põe essa.

Júnior acomoda a toalha natalina. Pouco importa que seja abril. Júnior se esmera na arrumação. Nunca sabe a ordem dos talheres. Fica alternando. Bruna surge com a assadeira redonda. Usa uma luva térmica e na mão esquerda traz um pano de prato com a imagem de um galo e o dizer: Portugal.

— Cadê o apoio?

— Não sei.

— Rápido, está quente!

— Põe assim mesmo, sobre a toalha.

Acomodam-se. Bruna, faminta, esfrega as mãos. Júnior sorri. Bruna devolve o sorriso enquanto parte o arremedo de pizza. Riem da dureza da massa. O mal-estar volta. A visão fica turva. Bruna percebe, mas finge não entender, para que ele reaja. Quando nota que ele está reagindo, indaga:

— Que foi?

— Fiquei com medo de ter aquilo de novo...

— Você sempre sofreu disso? O que é, epilepsia?

— Não, eu nunca tinha tido isso. Comecei a ter agora, depois de velho.

— Você não é velho, é isso que quer ouvir?

— Pode ser...

— Vamos comer... você vai ficar legal. Comer e conversar.

— Isso...

— Conversar ajuda. Você passa muito tempo sozinho.

— Eu adoro a sua companhia...

— Eu acho que isso é pânico.

— Pânico?

— Você vai se sentir melhor. Você vai ver, vai passar.

— Vai passar...

— Falo...

— Você já viu essa tal de Lurdinha?

— A Lurdinha do seu pai?

— Essa mesma.
— Claro. Por quê?
— Nada... É que eu nunca vi... eu pensei que talvez ela... fosse só uma invenção do meu pai...
— Não. Ela existe.
— Que bom. Menos mau...
— Sabe o que é engraçado?
— Não. O quê?
— Ela não vem aqui porque tem ciúme de mim. Dá pra acreditar?
— Perfeitamente...
Bruna ri e faz uma careta graciosa.
— Até parece que eu ia ter alguma coisa com o seu pai...
— Você consegue ouvir o mendigo que grita?
— Sempre. O engraçado é que não dá para entender nada.
— É. Só que, se você prestar mesmo atenção, dá para entender.
— Ah, é? E o que é que ele diz?
— Preste atenção. Eu não quero te influenciar.
— E você achou que ele também não fosse real?
— Talvez.
— Não pare de falar. Diga o que vier à cabeça.
— Com que trabalha quem faz esse curso de arte?
— Com arte! Que pergunta! Por quê?
— Para saber.
— Não, por que você perguntou isso?
— Eu só queria saber. Eu não consigo entender muito bem essa coisa.
— Coisa? Como assim, coisa?
— Arte.
— A arte não é para ser entendida, é para ser sentida.
— Essa é boa...
— Por quê?
— Eu não entendo... Para que serve?
— A arte é vital.
— Como respirar ou comer?

— É.

— E o que é arte, afinal?

— A arte é muita coisa... não dá para explicar... assim...

— Por exemplo, esse mendigo que grita, isso pode ser arte?

— Não, claro que não.

— E por quê?

— Porque não há intenção. Ele grita porque é louco. Grita por desespero.

— Como você sabe?

— É óbvio.

— Que tal descer e perguntar para ele por que ele grita?

— Isso é absurdo.

— Eu acho que tem intenção. Eu não acho que ele grite por gritar.

— Você está querendo dizer que ele é um performer?

— Talvez.

— Isso não faz sentido, mas saiba que até alguns assassinos em série dizem que as pessoas não conseguem vencer as barreiras morais e por isso não compreendem que o que eles fazem é arte.

— Estamos começando a nos entender. Porque, para mim, esse mendigo grita para alguém. Acho até que ele é pago para isso.

— Pago?

— Desconfio que sim. Outro dia vi um carro parando e entregando um envelope para ele. Não parece estranho?

— E por que alguém pagaria para que ele gritasse?

— Ora, para atormentar alguém. Provavelmente... Sei lá, quem sabe?

— Nessa você viajou.

— Talvez ele nem seja mendigo. Pode ser um ator.

— O que você anda bebendo?

— Deixa pra lá. Foi você quem me mandou falar. De qualquer forma eu queria dizer obrigado.

— Por quê?

— Por tudo. Obrigado...

— Pára de agradecer.

— É que me deu vontade de dizer... obrigado...

— De nada.

— Obrigado...

Bruna ri.

— De nada...

— Obrigado...

— De nada...

— Obrigado...

A maçã sobre a cabeça

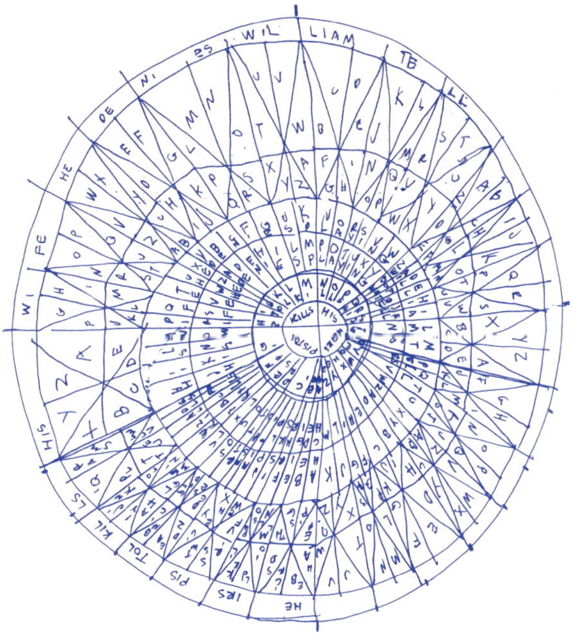

1

Júnior não acorda melhor, é o mesmo. Ninguém em casa. Zero-zero. Bananas para as uvas. Um dia da semana. Júnior perde gradualmente o vínculo com o tempo social. Cambaleia até a cozinha, serve café e cigarro ao corpo cansado. 11209051082. Anel do rolamento. O café está horrível. Espreita na área para ver se a barata o aguarda. Ninguém. Parece não haver ninguém no mundo. Um silêncio espantoso. Como o silêncio que antecede uma catástrofe. Há sempre uma ameaça, mesmo no silêncio. Serve um resto da pizza dormida e, sem se dar conta, cantarola o tema do pai. Ouve um som estranho. Parece um papagaio que ao longe repete ininterruptamente: sim, olá. Bota o corpo no banho frio. *Heirs Pistol Kills*, cantarola o papagaio. O papagaio talvez também esteja reproduzindo o tema de seu pai. Os animais não têm pai, nem filhos, é tudo ninhada, cria. Não há vínculos nem dias comemorativos. Não se reúnem no Natal. Para eles o verbo não existe. Não há transferência de conhecimento que não seja genética, pensa Júnior. Veste roupas novas, limpas. Calça a botina para alpinismo e longas caminhadas. Surpreende-se ao conferir a carteira e constatar que resta pouco mais de trezentos reais. Trezentos e dezessete para ser exato. Fora os trezentos que deixou no banco. O limite. O limite é sempre desrespeitado. Veste a calça terrosa. Júnior calcula mentalmente os gastos. 0132008602. Atuador de marcha lenta. Lembrando do fragmento de um sonho, congela durante um minuto. Está numa cabana de madeira. Aliás, tudo ali era de madeira. Tudo, exceto ele e um outro que dormia numa cama ao lado da sua. No sonho ele acendia um cigarro. O cheiro do cigarro acordava o outro. Enquanto fuma, reflete sobre o sonho. Há algum significado nisso? Se o outro dormia em seu sonho, também sonhava em seu sonho? Talvez isso tenha a ver com o fato de que, quando solteiro, dividia o quarto com o irmão. Hoje o irmão divide o quarto com muitos outros e ele dorme no sofá da sala do pai. Abre um fio da torneira e apaga o cigarro. Ia pegar outro café, mas desiste. Resolve levar o corpo para tomar um expresso. Expresso e pão na chapa. Sua mãe diria que está melhor porque está com apetite. Sua mãe era fria. Fria e distante. Cultuava demônios. Só sentia afeição pelos mortos. Admirava apenas civilizações extintas. Sua mãe era feito um animal. Sua mãe era como uma cadela, que não festejava o Natal. Carregava réplicas de cabeças para o templo. Odiava a tal amante do pai, talvez aquela do slide. Certa vez ela se queixou que na noite de núpcias Sênior a tratou como a uma prostituta. Disse que, de tanto ele viver com as putas, consumou seu matrimônio com sacanagem. Ninguém ensinou Sênior a amar. Sênior só sabia meter. No elevador só o reflexo de seu corpo. Sênior era um cavalo. Entra no elevador e vê a criatura borrada especulando o espelho. Tudo se repete e Júnior se acostuma com isso. F00TE9003. Pré-filtro da injeção. Estranha-se. Na portaria, o porteiro, Nuno? Ou ele é Nuno para o porteiro? O elevador pára, deixando um alto degrau entre o térreo e a garagem. Júnior não percebe e tropeça, batendo o joelho no chão. Pragueja: caralho! Bom dia, bom dia. Dia-bom. Dia-bo-m. Ele ouve isso quando atravessa a guarita pela terceira vez. Seu corpo deixa um rastro como fazem os faróis dos carros nas noites mal iluminadas. Diabom! Começa a conhecer o mecanismo dessas ruas. Identifica a velha senhora oriental que empurra uma cadeira de rodas vazia. O homem da banca de jornal e sua esposa aleijada. O rapaz que vende bananas e mandioca num carrinho de mão. Um senhor que fala sozinho. Um velho que anda abraçado a si mesmo e está sempre vestido com uma camiseta listrada de mangas compridas, igual ao Freddy Krueger. Ele também tem uma de mangas curtas para o verão. Uma loira com quadris gigantescos. Comia. Cruza com a loira rabuda de novo e de novo. Sente que está a perigo. A libido endurece seu pau. Cruza com a mocinha que sempre anda apressada balançando a cabeça como quem nega. Sem conseguir se conter, deixa escapar um "gostosa". Depois que escapa, fica sem graça. O "gostosa" era para a loira rabuda. Agora já foi. Cruza com o negro jovem e forte que trabalha na mercearia. O homem bem-vestido que anda com ar de vitória. Figurantes. O homem da chapa. Entra na padaria que é cheia de cartazes e luzes e isso lhe causa vertigem. Reconhece o homem que opera a chapa. Olá. Pede pão e expresso. Num rápido balanço se orgulha da noite passada. Pizza e boa companhia. Termina o pão, pede outro café. O pão chega de novo e ele nem percebe. Pede outro café e o cara da máquina diz: já falou. Júnior sente sua musculatura enrijecer. Um calor na testa. Antes de chegar ao caixa para pagar o café, apanha um pote de sorvete napolitano para adoçar sua paquera, como diria o pai. Talvez tenha sido arte o que fez o herdeiro. Pega o pote de sorvete na geladeira da Kibon. William Tell. Decidido a antecipar sua herança, resolveu matar a patroa com estilo. Uma maçã sobre a cabeça, e bang! Não era maçã, era copo. Meteu um copo na cabeça da infeliz e atirou. Virou artista. Não foi isso que a Bruna falou? Artista é assassino em série. Analisando bem, nada que é em série é arte. Talvez baste matar a mulher com um tiro na tampa da cachola. Talvez, assumir seu estado seja arte. Prepara-se interiormente para isso. Pretende enfrentar o pai. Já que é Júnior, que Júnior seja. Que o pai o sustente. Pensa no filho, que não terá a mesma sorte. Que os homens de sua mãe paguem o preço. Que os seus coleguinhas cuidem dele e da mãe. Devia ligar para o filho. F00133211. Ponte retificadora. É isso, Júnior agora quer ser artista. Vai falar para o pai que largou o emprego porque quis. A poeira começa a assentar. Percebe que é mais forte do que julgava. No fundo nada conseguiu atingi-lo. Nem a infidelidade da "exposa", nem a traição do amigo, nem a do amigo do filho. Continua inteiro. Revigorado. Estava cansado de todo aquele teatro. Talvez seja arte. Talvez artista seja aquele que não precisa trabalhar, que não precisa aceitar as regras, pelo contrário, o mundo é que deve se adaptar a ele. Não está aqui a trabalho. Ri ao perceber um detalhe curioso: é a segunda mulher que tropeça quando ele olha. Talvez seja um dom. Fazer belas mulheres tropeçarem com o olhar. Tenta repetir a façanha, só dá certo quando o desejo é intenso. Anda com a cabeça erguida. O dinheiro caiu bem. Caio. Ele não queria botar esse nome no filho. Foi coisa da ex. Sempre achou negativo, Caio. Pior é o seu Júnior. O nome do pai e essa alcunha que determina que ele não é o original. Júnior, a réplica. José Lopes Rodrigues Júnior. Nunca esteve tão bem. Sente-se forte como nunca. E essa coisa de ataques, ele jura que já matou a charada. Já faz uns dias que vem notando que aquele velho não é seu pai. Sabe que é uma réplica de borracha e ainda por cima malfeita. Esse pai é um Júnior também. Só serve para lhe botar cobranças e para encher o saco. Volta ao lar antes que o sorvete derreta. O porteiro demora a abrir. Isso dá tempo de o rastro alcançá-lo. Ao passar pela portaria, Nuno recebe um pacote. Um novo *sedec*. Chacoalha para decifrar o conteúdo. Sobe inúmeras vezes. Distraído, deixa o sorvete sobre a mesa da cozinha e vai direto para o sofá. A presença de Laika parece mais densa. O odor quase chega a latir ou uivar. Os cães latem para se comunicar, ganem quando sentem dor, uivam quando a dor é maior e não física, mas não têm que fazer essas ridículas reuniões de Natal. Júnior filósofo. Júnior não sabe por que essa idéia de Natal está agora em sua cabeça. Deve ter sido a toalha.

José Lopes Rodrigues Júnior. Dessa vez lacraram o pacote com um durex largo e resistente. Júnior percebe uma coisa estranha no carimbo. Como não pensou nisso antes. Os correios nunca despacham uma mercadoria sem remetente. É tão óbvio. Consegue ler o carimbo forjado. Coisa de amadores. Coisa de moleque. Ele mesmo fazia isso, mas fazia melhor. Lê "eklaW einn". É o detalhe de uma tampa de Johnnie Walker. É isso ao contrário. Exatamente como ele fazia para falsificar as carteirinhas de estudante e entrar em filme proibido. Passava caneta hidrocor vermelha sobre um rótulo de bebida e pressionava o relevo. O efeito era impressionante. Foi assim que viu Lucélia Santos pegando fogo em *Luz del Fuego*. Esse entre tantos outros filmes que não lhe ensinaram a amar mas o ajudaram a tratar sua mulher do jeito que ela mais gostava. Não era tão amarga quanto sua mãe. Obviamente ele não foi o primeiro a tratá-la assim. Volta para a cozinha para pegar uma faca. Parado no meio da cozinha com a faca nas mãos, tenta lembrar o que faz ali. E o porquê da faca. Desiste. Volta para a sala procurando refazer o trajeto para ver se recorda por que precisava de uma faca. Não lembra. É então que percebe que não consegue lembrar o nome daquele objeto que tem nas mãos. Um vazio ocupa uma região de sua cabeça. Essa é a sensação. Prata? Não. Não é isso. Não consegue lembrar. Esgota-se na tentativa. Essa lacuna causa um pavor que percorre seu corpo em ondas de frio e calor alternadas. Avista o pacote. Isso o distrai. *Sedec* de meia-tigela, diria Sênior. Apanha o pacote e joga no lixo. Lacrado. Novamente ocorre a ação, Júnior joga o pacote no lixo. Sem saber o que fazer, volta para a cozinha e o transfere para o lixo também. Então, de repente, é apanhado por um sono incontrolável. Toda aquela vivacidade e aquela disposição dão lugar a uma letargia. Uma fraqueza mental. Desliza no sofá. Como era o nome daquilo?

Quem manda esses pacotes? Por quê? Isso é coisa do ex-Marco? Não, não pode ser. Não consegue fazer o corpo dormir. A cabeça não pára. Apesar do cansaço mental. Felizmente, Bruna ocupa cada vez mais espaço dentro dela. Dentro dele. Dentro dela, da cabeça. Talvez precise de outra, além da réplica que a mãe talvez tenha ofertado à santa. As botinas para longas caminhadas e altas montanhas apertam os pés, que ele tenta esticar no pequeno sofá. O telefone toca. Não quer atender. Pensa em fazer pressão sobre o ex-chefe. Talvez viva de chantagem. A extorsão é uma forma de arte. Associa o pensamento ao vira-bosta: um pássaro que vive das sementes que extrai das fezes do boi. Põe os ovos no ninho do tico-tico e esse cria seus filhotes. O telefone volta a tocar. Serve um cálice de pinga. Não consegue dormir. Vira-bosta. José Lopes Rodrigues Vira-Bosta. José Lopes Rodrigues Vira-Bosta, aceita a moça que mora no fundo do armário como sua legítima esposa? Casava. Queria casar. Gosta da presença da moça. A artista. A artista que reproduz as coisas nas folhas brancas. O telefone toca, a bota aperta. Levanta. Caminha até a gaveta de lingerie. Como pensava, Bruna mudou o esconderijo. Volta para a cozinha e retira o misterioso objeto sem nome. Sabe sua serventia. Sabe o que é, mas não sabe o nome. A forma do objeto parece diferente. Volta à gaveta e guarda a faca sob as lingeries. A moça não confia mais nele. Não confia mais em ninguém. Formam um belo casal. Caminha até a lixeira. Retira o pacote. Chacoalha. Passa a unha no largo durex. É então que percebe o tamanho das unhas. Devolve o pacote ao lixo. Precisa cortar. Parece ter visto um cortador de unhas na primeira gaveta do pai. Confere. Senta na cama do velho e apara as unhas. Junta os tocos das unhas e resolve guardar. Abre o guarda-roupa do pai e acomoda as unhas na primeira caixa, a que trouxe a matéria de William Tell. Observa o mundo de Bruna através do buraco. Devolve o cortador à gaveta e volta para o sofá carregando a cabeça da matéria.

HEIR'S PISTOL KILLS HIS WIFE;
HE DENIES PLAYING WM. TELL

Deve haver um sentido. Lembra do Paulo. Não o da agenda. O que prometeu desvendar o livro. Pensa em ir até a livraria, mas espera a chegada de Bruna. Sente sua falta. Serve outro cálice. Ouve passos por sobre a cabeça. Parece que é o apartamento da namorada do pai. Talvez ela exista. Não é hoje o jantar? Talvez a velha esteja preparando o banquete. Não quer ir. Só queria atestar sua realidade. Anda de um lado para outro. Talvez o vizinho de baixo acredite em sua existência. Teme um novo ataque. A boca seca. Bebe água. Senta. Levanta. Volta para a área de serviço e espreita a janela. O telefone toca. Zero-zero. O estômago ronca. Apanha um ovo na geladeira e frita. Encaixa o ovo na última fatia de pão que restou no saco. Ovo. Humpty Dumpty. Alimenta o corpo. Talvez a Bruna venha mais cedo. Podem jantar juntos. Há outro objeto como aquele sobre a mesa da cozinha. Júnior se concentra. É como se a palavra tivesse sido apagada de sua mente. Analisa o objeto. Talvez a memória do objeto também esteja se apagando. Esse pequeno esforço em evocar o nome da coisa o desgasta. Precisa sentar um pouco. Fuma um cigarro para recuperar o fôlego. É melhor esquecer isso, pensa. Esquecer o esquecido. Para se distrair, apanha umas folhas na impressora da moça. Confere a agenda para ver se faz parte de sua história.

> Esse imbecil pegou meu dinheiro. Eu sei que foi ele. Vou achar uma pista ou encontrar o dinheiro. Sempre há como provar. Eu vou ferrar ele. E não vou ter dó porque foi ele quem quis. Louco surtado! Porco machista. Ele é estranho, tentou me estuprar. Louco! Vai ter que devolver o meu dinheiro ou vou chamar a polícia. Ele fica me olhando com aquela cara de idiota. Eu sei que foi ele por mais que ele negue.

Algumas linhas abaixo o assunto já parecia esquecido:

> Wilma: festa!
> Está chegando o aniversário da Wilma, vou plagiar a idéia da Vera, como sou ingrata. Preciso telefonar para ela.

Então é essa a idéia que ela faz sobre ele? Ou isso faz parte da instabilidade feminina?, reflete. Ela sabe que foi ele, mas isso foi escrito antes do jantar. Depois do jantar a coisa deve ter mudado de figura. Ele acha que a noite passada foi marcante para ela também. Embora na agenda não tenha nenhum apontamento sobre o jantar, ele acredita que ela gostou da companhia. É provável que ela ainda não tenha anotado por falta de tempo. Júnior pensava em tentar uma nova interpretação do texto do senhor Wm, por isso foi até o quarto. Para se distrair. Precisava de umas folhas para decifrar o enigma. Não pretendia vasculhar as coisas dela. Por isso entrou no quarto de Bruna. Foi só então que resolveu conferir a agenda. Achou que talvez houvesse um coração desenhado representando o jantar. Não havia. Já não se lembra da faca que escondeu debaixo das calcinhas. Volta para o sofá. Retoma o recorte. Precisa de uma caneta, mas sabe que as de seu pai não escrevem. Ele guarda sem tampa. Retorna ao quarto de Bruna. Há uma caneta ao lado da agenda. Pega a caneta que escreve coisas ásperas. A caneta é azul. Não, a tinta da caneta é azul. Escreve em azul. Escreve em azul sobre o fragmento amarelado. Completa a frase:

> CHeirO's PistolA Kills His Wife;
> COLHe DenTies Playing Wm. TellEFONE

Talvez o enigma não esteja em inglês. Experimenta com a grafia ou a sonoridade da língua que não domina. Precisa decifrar a charada. Champollion-Vira-Bosta. Liga cada um dos pontos. O princípio da geometria. Dois pontos uma reta. Formas ocupam o espaço. Segue cruzando linhas, construindo gráficos. A cada nova folha a composição de sua geometria parece mais complexa, seus movimentos mais frenéticos. Enquanto executa sua matemática particular, não pensa em mais nada. Esvazia-se. Acalma. Embora as mãos e a cabeça continuem reproduzindo movimentos mecanizados. É quase um ataque. A afasia não apaga meramente as palavras, apaga as imagens e os vínculos entre as palavras e as imagens:

> Agá e i erre apóstrofo esse pê i esse tê o ele cá i ele ele esse agá i esse dáblio i efe e.
> Agá-e-i-erre-apóstrofo-esse-pê-i-esse-tê-o-ele-cá-i-ele-ele-esse-agá-i-esse-dáblio-i-efe-e.
> Agarre após troféu esse peito esse teu ele cai ele esse...

Agá e dê e ene i e esse pê ele a ípsilon i ene gê dáblio eme ponto tê e ele ele.
Agá-e-dê-e-ene-i-e-esse-pê-ele-a-ípsilon-i-ene-gê-dáblio-eme-ponto-tê-e-ele-ele.
Agrade inimigo esse pé ele aprisiona gene da biomédico ponto TV ele.

CHEIRO'I S PISTOL KILLS CHIS WIFE
Cheiro despistou quis ris uaife ? [→ rir da fé]

HE DENIES PLAYING WM. TELL
Rede nies [→ Inês] plai [→ spray] William telefone
Rede inexperiente William telefone

He	Irs	Pist	ol	Kill	S	His	Wi	fe
He	De	Nies	P	lay	In	gW	M.	Tell

Hehe/irsde/pistnies/olp/killlay/sin/hisgw/wim/fetell/

Insatisfeito, procura o sentido que acalme sua ânsia. Desmembra, reordena, repete, joga com a frase. Cada combinação se desdobra num novo leque de possibilidades. O tempo passa. A cada nova composição, a frase se desdobra, ramifica. Quanto mais procura, mais se ausenta do cotidiano, do concreto. Embalado pela reflexão, a cadência das possibilidades simula um mantra que o embala

Riis pistol ris vifi ri de ni ês pla in uim teo
Reipsa tōmix viride plānitiēs ūniter

Embora a tal Letícia, supondo que ela exista, tenha traduzido a frase, Júnior está cada vez mais certo de que o segredo do enigma não está em seu conteúdo superficial. Não se trata de uma charada em inglês, mas de uma charada feita apenas para ele. Sob medida. Ninguém mais poderia interpretar seu sentido. Ele é a única chave possível. Isso não está em inglês. É outro idioma. É o seu idioma. Isso está conectado com seu conteúdo interno. Deve haver um sentido obscuro, velado, criptografado.

Algo que se relaciona com o mesmo idioma da ranhura desses vasos que injetam seus olhos. Cabe a ele tal compreensão. Uma sensação se apodera de suas idéias. A boca seca. Com o recorte nas mãos volta ao quarto de Bruna e ao dia anterior, registrado na agenda da artista. Alinha o recorte ao último apontamento. Como pensava. Pinça palavras com a caneta.

Esse imbecil pegou meu dinheiro. Eu sei que foi ele. Vou achar uma pista ou encontrar o dinheiro. Sempre há como provar. Eu vou ferrar ele. E não vou ter dó porque foi ele quem quis. Louco Surtado! Porco machista. Ele é estranho, tentou me estuprar. Louco! Vai ter que devolver o meu dinheiro ou vou chamar a polícia. Ele fica me olhando com aquela cara de idiota. Eu sei que foi ele por mais que ele negue.
Wilma: festa!
Está chegando o aniversário da wilma, vou plagiar a idéia da Vera, como sou ingrata. Preciso telefonar para ela.

Corre outras folhas. Volta ao início da agenda.

1º de janeiro, Recife
Posso sentir seu cheiro, isto a quilômetros...
Denis.

Corrige os apontamentos da moça:

Recife → His Wife
Posso sentir seu cheir'So, PistoLa quilômetros...
DeniEs.

12 de fevereiro, uma breve nota:

89 FM
89 Quilohertz FM
Quil → hertz → KILLOHISrtz
FM → MF → WF → WiFe

6 de janeiro:

Rio!!!
Bondinho e Cristo Redentor!
Eu e a moçada! Irado!
O Zeca nos mostrou sua coleção de LPs raros.

Não ouve a porta. É seu pai. Júnior parece confuso. Talvez seja efeito do esforço mental. O pai olha com curiosidade para a pilha de folhas sobre a mesinha de centro. Todas forradas de notas. Júnior olha para o pai.

— Pai. Acho que fiquei inteligente.

Sênior folheia os papéis. Solta um longo suspiro.

HeirsPistolKillsHisWifeHeDeniesPlayingWmTellheirspistolkillshiswifehedeniesplayingwmtellheirspistolkills

PISTOL KILLS HIS WIFE HE DENIES PLAYING WM TELL HEIRS

HEIRS PISTOL KILLS HIS WIFE HE DENIES PLAYING WM TELL HEIRS PISTOL KILLS HIS WIFE HE DENIES PLAYING WM TELL HEIRS

PISTOL KILLS HIS WIFE HE DENIES PLAYING WM TELL HEIRS

PLAYING WM TELL HEIRS PISTOL KILLS HIS WIFE HE DENIES

PLAYING WM TELL HEIRS PISTOL KILLS HIS WIFE HE DENIES

José Lopes Rodrigues Jr – 010

Livro

2

Nonsense

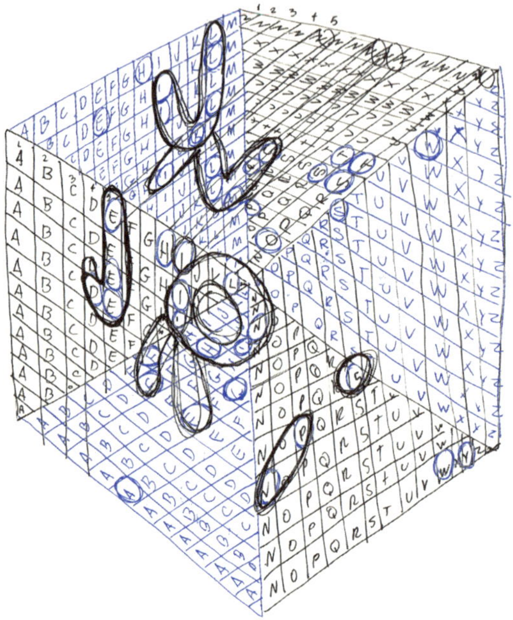

A palavra escrita é, literalmente, um vírus, uma forma maligna e letal. A crença de que algumas palavras e combinações de palavras podem produzir doenças e perturbações mentais graves é partilhada não apenas no campo da magia mas também no campo da psicolingüística e da pragmática. O efeito chamado perlocutivo é o efeito somático provocado pela proferição (elocução) da palavra que tem uma força (ilocucionária) particular.

José Augusto Mourão, prefácio à edição portuguesa de *Eletronic revolution*, de William Burroughs

O copo vazio

1

Júnior perde um degrau na escada que desce em sonho. Cai. Frio na barriga. Uma voz evoca seu nome. Uma voz agradável. A mesma voz que o fez cair sustém agora a queda. 0986BF0006. Júnior. A voz conforta seu nome. 018041964. Eletricidade. Eletroquímica. O pensamento precisa transformar-se em imagem para que se possa entender. Júnior. Não acorda, desce ainda mais fundo. De tão agradável a voz não pode acordá-lo. A voz embala seu nome. Bruna o sacode com força. 0261210118.

— Bruna?

Bruna sussurra para não acordar Sênior.

— Você mexeu nas minhas coisas de novo? Eu te avisei, não avisei?

— Mexi? Não! Não mexi em nada, eu juro!

— Você riscou toda a minha agenda, ou vai dizer que não foi você?

— Ah! Eu pensei que você estava falando do coiso.

— Que coiso?

— Como fala, aquilo de... dinheiro?

— Eu te avisei que não era pra você mexer nas minhas coisas, não avisei?

— Eu também não queria isso de você.

— Quê? Isso o quê?

— Eu não imaginava que você fosse me trazer de volta pra cá.

— Você está bêbado, pra variar.

— Não. Não.

— Não o quê?

— Está tudo se apagando.

— O que está se apagando?

— Eu. Você. Tudo.

Júnior segura a mão de Bruna e beija.

Dessa vez é ela quem não encontra palavras.

— Não muda de assunto. Por que você riscou toda a minha agenda?

— Você não sabe?

— Como vou saber?

Bruna luta para recuperar sua mão.

— Então amanhã você explica para o seu pai. Eu vou mostrar pra ele e falar do dinheiro.

— Onde você onde?

Bruna estava se levantando quando ouviu a frase. Ela simula algo que Júnior não consegue entender. De maneira ridícula, como se estivesse gritando em sussurro. A expressão do seu rosto fica engraçada. Júnior ri.

— Quê?

— Me dá um beijo de boa-noite.

Ela joga a mão no ar e vai para o quarto. Júnior quer levantar, não consegue. Sua forma permanece deitada enquanto sua imagem desce as escadas. Ou o contrário. A escada parece não ter fim. Lá embaixo ele percebe algo se movendo. Como se fosse terra. Centenas de vermes se debatem. Acorda em outro sonho. Um quarto. Um quarto abafado. Observa o chão de madeira. O teto é também de madeira. Os móveis. A madeira do chão é gasta. *A casa de madeira!*, ele reconhece. Um lugar familiar. Um lugar onde já esteve em sonhos. Só percebe que há mais alguém ali quando acende um cigarro. Alguém que dorme na cama ao lado tosse, incomodado com o cheiro do cigarro. Um homem na cama ao lado. Apesar das várias janelas, o quarto é quente e abafado. O outro dormia vestido. De terno e gravata. Júnior sente uma vibração subir pela espinha. O velho usa um chapéu engraçado. O velho começa a falar. Sua voz é estranha, metálica, artificial. Não parece bravo por ter sido acordado.

— Eu pensei que você estivesse na cidade-peixe.

— Como?

— Eu cheguei mesmo a ver suas ruas de mármore e as cúpulas de cobre.

— Você estava sonhando.

— Estamos.

— Eu. Eu. Eu.

— Descobriu?

— Eu, eu, eu...

— Estão tramando contra ele.

— Ele quem?

— Ele você.

— 01923756004. Eu.

— Você é a maldita cobaia de um plano científico. 01923756004 CNPJ.

— Eu? Eu?

— Talvez seja algo que coloquem na água.

— O que colocam na água?

Aquele que se faz passar por teu pai. A namoradinha dele também. Injetam coisas nas sardinhas.

— Então é sardinha que botam na água?

— A cidade dos homens-peixes.

— Quem é o herdeiro? O herdeiro do nome?

— O nome é a imagem.

— A imagem?

— Agora as coisas começam a sumir, veja...

— Estou cansado.

— Veja! Fique atento! Não durma agora...

O homem sai da cama e caminha até Júnior. Retira o cigarro de sua boca, joga no chão e pisa. Apóia as mãos nos ombros de Júnior, forçando-o a deitar. Júnior se acomoda. O outro beija sua testa, tira seus sapatos e o cobre com os lençóis. Volta para a cama e dessa vez é ele quem acende um cigarro. Cantarola o tema de Sênior.

Agora o estranho é Sênior.

— Não é engraçado e triste isso?

— O quê, pai?

— Você nunca mais vai se lembrar disso.

— Não? Por que não?

— Você nem lembra o nome disso.

O homem mostra algo para ele. Ele não sabe o que é aquilo. Nunca viu. É difícil até associar sua forma a qualquer outro objeto.

— Eu nem lembro o que é isso?

Imagens começam a surgir. Cada vez mais rápido. Imagens, cenas, objetos. Em cada uma das coisas falta um pedaço. Falta um detalhe. Há sempre algo que ele não consegue distinguir. Algo que está em cena mas não consegue tomar forma. Como na enxaqueca. Escotomas. Formas abstratas. Um halo de luz reflete e desfigura o centro da imagem. Uma luz tão intensa que causa náusea. A luz cintila e corrói o campo visual até tomar todo o quadro. Expande-se pelo campo de visão. Aos poucos essa luz insuportável se concentra na forma de uma pequena esfera e atinge sua cabeça bem no centro. As têmporas começam a doer. Como se algo as perfurasse. A luz que agora invadiu sua cabeça começa a magnetizar todas as suas lembranças. Apagando tudo, como um ímã ao tocar uma fita magnética. Júnior apóia as costas no teto, junto ao lustre. Vê a si mesmo menino ao lado da mãe, lá embaixo. Na mesa da sala da velha casa. Um caderno de caligrafia. Sabe que isso não faz parte do sonho. Isso é lembrança. Isso realmente aconteceu. A cena é uma experiência vivida. Algo que aconteceu quando ele era menino. Não exatamente dessa forma, mas de agora em diante só conseguirá se lembrar dessa forma. Júnior recria seu passado diariamente nesse ponto em que atravessa do sono à vigília. O chão é de assoalho como na casa de madeira. A mesa é também de madeira. O outro se faz sua mãe embora isso não seja um sonho. Isso é lembrança.

— *A professora reclamou da sua letra.*

— *Quem é aquele homem lá em cima?*

— *Em cima da onde?*

— *Lá.*

— *Não enrola. Presta atenção aqui no caderno.*

Existem várias formas de afasia. Afasia é a surdez e a cegueira às palavras.

— *Veja, filho, é assim que faz o A, viu? É esse movimento. Aqui, depois faz a barriguinha e fecha. Vai, agora faz você. A letra precisa ficar bonita para que os outros também possam entender.*

O ponto luminoso começa a desfigurar o rosto de sua mãe. Ela parece uma santa envolta num halo. Júnior copia o A. Queria continuar olhando para ela, mas sabe que ela vai brigar se ele não copiar as letras. Copia até a mão doer. É uma tarefa desagradável. Mesmo menino, sabe que não precisa treinar. Sua letra sai naturalmente. Não como essa. Essa não é sua letra, essa é a letra dos outros. Júnior observa aquela luz nauseante que se apodera mais e mais do rosto de sua mãe. Até desfigurá-lo completamente.

— *Vai, Júnior, quanto mais você enrola, pior é.*

Júnior não é o seu nome. É só uma cópia. Uma coisa. Desliza do teto. Talvez seja por isso que sua mãe mande fazer as cabeças. Para ocupar o lugar que foi corrompido pela luz. Júnior invade seu corpo menino. É difícil se acomodar num corpo tão pequeno. É difícil escrever com mãos que ainda não foram amestradas. Percebe as linhas do caderno. Dói muito escrever aquelas letras. Então cruza linhas numa nova página. Suas mãos agora são grandes e cheias de pêlos. Diagrama. Distribuiu o alfabeto reiniciando o movimento a cada Z. A repetição é compulsiva. Agora é o menino quem observa. Nesse momento ele está acordado. Sentado sobre os pés com o caderno apoiado sobre a mesinha de centro. Completa duas páginas espelhadas. Depois, passa a pontuar cada uma das letras de cada palavra que compõe a frase.

ABCDEFGḤ
ABCDẸ
ABCDEFGHỊ
ABCDEFGHIJKLMNOPQṚ
ABCDEFGHIJKLMNOPQRṢ
ABCDEFGHIJKLMNOP̣
ABCDEFGHỊ
ABCDEFGHIJKLMNOPQRṢ
ABCDEFGHIJKLMNOPQRSṬ
ABCDEFGHIJKLMNỌ
ABCDEFGHIJKḶ
ABCDEFGHIJḲ
ABCDEFGHỊ
ABCDEFGHIJKḶ
ABCDEFGHIJKḶ
ABCDEFGHIJKLMNOPQRṢ

Num movimento horizontal da esquerda para a direita gera um pequeno círculo negro em cada letra que forma a frase. Num movimento coréico. William Burroughs dizia que a palavra é um vírus e como tal deve ser combatida. Júnior nunca saberá de tal teoria. Júnior nunca leu nada que Burroughs escreveu. Mesmo assim parece ter contraído a cura que Burroughs buscava, ao ler a cabeça da matéria escrita por um jornalista anônimo na Cidade do México.

2

Júnior acorda. É dia. Sua cabeça dói. A casa está silenciosa demais. Levanta e confere os quartos. Não há ninguém. Apanha um caderno e se posiciona na mesa da sala. Serve café e cruza linhas na página enquanto fuma o primeiro cigarro do dia. Diagrama. Distribuiu o alfabeto de forma seqüencial, repetindo o movimento a cada linha. A repetição é compulsiva e sistemática. Depois de completar duas páginas espelhadas, passa a pontuar cada uma das letras da maldita frase. Por fim, une cada uma das letras com traços. O cruzamento acaba gerando figuras. Procura compreender essas formas que surgem. Formas que ocupam espaço. É aí que reside o sentido da frase, acredita. Segue cruzando linhas, construindo gráficos. A cada nova folha sua geometria se torna mais hermética. Os movimentos, mais compulsivos e espasmódicos. Júnior entra numa espécie de transe. Parece que, enquanto executa essa matemática frenética, não pensa em mais nada. Esvazia-se. Acalma. Embora suas mãos continuem em grande frenesi. Como num ataque. Pára quando não consegue mais segurar a caneta entre os dedos tamanha é a dor. Volta para o sofá. Mesmo com os olhos fechados ainda consegue enxergar os gráficos. Conseguiu transformar a frase em algo mais obscuro. Sua letra agora é bonita.

Dessa vez não é o olfato, é a audição que o desperta. Vozes que vêm da cozinha.

— Ele mexeu no seu dinheiro?

— Eu não ia falar nada para o senhor porque ele devolveu.

— Mas ele disse que foi ele quem mexeu nas suas coisas? Ele admitiu que roubou seu dinheiro? Ele admitiu isso?

— Não. Ele disse que não foi ele.

— Que estranho. Eu não consigo acreditar que ele tenha feito uma coisa dessas.

— Então olha.

Bruna mostra a agenda toda rabiscada. Cheia de diagramas.

— Quem o senhor acha que fez isso?

— Isso aí eu não tenho dúvida. Ele riscou sua agenda como tem feito com todo papel que encontra pela frente. Você não viu que ele está acabando com os meus caderninhos fazendo esses trecos? Até nas Páginas Amarelas ele rabiscou. Tem dias que ele passa o tempo todo fazendo isso. Ele fala que é por causa daquele negócio que veio em inglês.

— O senhor acha que não foi ele quem pegou o dinheiro?

— Eu não sei. Eu não sei dizer. Acho difícil de acreditar.

— Mas, se não foi ele, então quem foi?

— Não sei. Só pode ter sido ele. Ninguém entra aqui. E, se alguém tivesse entrado e roubado o dinheiro, ia levar mais coisa. E ele está estranho. Ele anda calado. E, quando abre a boca...

— Que será que deu nele?

— Eu sei lá. Às vezes eu fico preocupado. Com a presença dele.

— Ele botou uma faca no lugar que eu guardava o dinheiro.

— Ele está ficando louco. Só pode ser. Que coisa. E essas coisas que ele fica falando... Não fala coisa com coisa.

— Ontem eu notei, mas ele estava meio dormindo. Achei que fosse por isso.

— Ele precisa reagir.

— Talvez fosse bom levar ele num médico.

— Existem bons médicos nos hospitais públicos.

— Eu não sei. Não sei o que fazer. Eu achava que era estresse, mas outro dia fiquei com medo. O olhar dele estava muito estranho.

— Eu também tive medo.

Júnior cobre a cabeça com a velha almofada. Ainda pode ouvir o timbre das vozes, mas não identifica o que dizem.

— Não fica assim, seu José. A culpa não é do senhor.

— Agora está cheio desses problemas mentais, né?

— Mas deve ter tratamento.

— Quando eu era novo, tudo era mais simples. Não tinha tanta doença. Ou a pessoa estava com o miolo mole, como é o caso dele, ou era nó-nas-tripas.

Bruna acha graça e ri.

— É sério. Ah! Tinha o câncer, porque o câncer sempre existiu. Tá rindo do quê?

— Achei engraçada essa coisa de nó-nas-tripas.

— É. O pior é que existe, é verdade. É uma coisa perigosa pra cachorro, mas os médicos nem falam mais nisso. E tinha doença venérea. Isso também sempre existiu. Não como a aids, mas tinha umas brabas.

Segue um silêncio.

— Domingo eu vou visitar o Pedro. Acho que vou levar ele junto. Isso pode dar um susto nele.

— Quem é Pedro?

— Meu caçula.

— O que está preso?

— É. Vou ver se consigo levar o Júnior comigo para ele ver o que é uma cadeia. Eu acho difícil que ele tenha roubado seu dinheiro, mas um susto é sempre bom.

— Deve ser muito difícil para o senhor fazer essas visitas.

— Você nem imagina...

Mesmo com a audição abafada, Júnior ouve a porta da sala bater. Bruna deve ter saído para o trabalho. Pelo silêncio, o pai deve ter saído junto. Júnior apaga. Quando acorda, o silêncio persiste. Taquicardia e palpitação. Levanta e tropeça até a área. Esforça-se em lembrar o nome daquilo que está em suas mãos. Prato. Talvez não seja esse o nome. Ele sabe que não é esse o nome, mas não consegue lembrar a palavra que o representa. Pega os fósforos que ficam na aresta da janela da cozinha e acende o negócio. Chega a fazer cara de dor, tamanho é o esforço dessa busca interna. Vazio na cabeça e sensação de morte. Falta de ar. Caminha com a certeza de que os cômodos estão invertidos.

3

— Acorda, mocorongo.

Júnior abre os olhos e vê alguém que tenta se passar por seu pai. Sênior nota na expressão do filho algo que o assusta. Júnior sabe que é melhor fazer o jogo.

— Oi, pai.

— Domingo eu vou visitar teu irmão e você vai comigo.

Um truque? O que essa coisa quer de mim?

— Você está me ouvindo?

— Eu não vou. De jeito nenhum.

— O que custa?

— Eu não vou. Não vou mesmo.

A delicadeza do assunto, o medo de ter que ir ao presídio. Júnior acaba entrando no jogo da rotina e esquece a idéia de que seu pai possa ser uma réplica. O jogo da realidade. O outro. Júnior entra na própria pele.

— Eu não estou te convidando. Eu estou comunicando que você vai. Entendeu?

— Eu não vou, pai. Nem fodendo.

— Quer apostar?

— O que o senhor vai fazer? Vai me obrigar?

— Por que você pegou o dinheiro da Bruna?

Júnior levanta. Não consegue disfarçar o embaraço.

— Cadê meu negócio?

— Não muda de assunto.

— Eu não peguei nada. Eu vou ver se ficou na área.

Sênior segue seus passos. O maço está sobre a máquina de lavar. Júnior tira um cigarro, mas não acende. Volta para a cozinha. Apanha um copo no escorredor de pratos e gira a tampa da garrafa térmica. Sênior acompanha os movimentos de perto. Júnior serve café. O açucareiro está vazio. Sênior pega um pote azul numa porta do armário sobre a pia. Tira uma concha de açúcar e despeja no açucareiro, enchendo-o até a boca. Júnior agradece e adoça o café. Volta para a área. Dá um gole e acende o cigarro. Sênior faz o mesmo movimento. Copo, café e açúcar.

— Me dá um desses aí.

Júnior estende o maço. O velho põe o cigarro na boca e olha fixamente nos olhos do filho, esperando que ele o acenda. Júnior risca um fósforo e leva até o cigarro do pai. Sênior traga, mantendo o olhar fixo nos olhos do filho.

— Eu não vou. Não quero ir.

— Você vai, e ponto final.

Os dois tragam. Olho no olho. As pupilas de Sênior se contraem. Sênior cerra o punho direito involuntariamente. Júnior desvia o olhar.

— O que deu na tua cabeça para você mexer nas coisas da moça?

— Eu não mexi em nada.

— Então quem mexeu?

— Como eu vou saber?

Sênior passa a mão na testa para secar o suor.

— Vai tomar um banho que você está fedendo.

— Posso acabar o cigarro?

Sênior esmaga o seu no cinzeiro e sai. Volta para a sala. Arranca os lençóis do sofá e joga no chão. Senta. Observa os cadernos e as folhas rabiscadas que forram a mesa de centro. Apanha uma folha.

— Que merda — deixa escapar.

Sente Júnior passar da cozinha para o quarto. Ouve a porta do guarda-roupa ranger. Depois de uns segundos Júnior se tranca no banheiro.

— Depois bota essa roupa de cama para lavar! — grita o velho.

Sênior confere os cadernos.

Gráficos. Estranhos gráficos. Folheia.

Pára quando encontra uma folha aparentemente legível.

Essa corrente de letras acalma o incerto que voa sobre a cabeça de todos porque acima do apartamento de cima tem outro por cima. E acima do de cima tudo se repete e é outro. Tudo se repete imitando e não percebemos isso porque eu sou a corrente que corre palavras que vão escrever na Cidade do México num dia futuro que será novamente 7 de setembro de 1951. Eu estou bem no meio do negócio todo da cabeça. Da cabeça dessa coisa de que a gente é coisa que acredita com a vida que todo mundo é o outro para o outro um.

4

Júnior acorda tamanho é o silêncio. Sente-se bem. O relógio do vídeo não marca a hora. Todos dormem. Não há café na garrafa. Júnior lava o rosto, escova os dentes com o dedo e penteia o cabelo com as mãos. Não muda de roupa porque as suas roupas estão guardadas no quarto do pai. Procura não fazer barulho ao sair. Chama o elevador. Enquanto espera, percebe uma rachadura no piso. Uma linha sinuosa que parte de uma coluna e avança quase até as escadas. O elevador demora. Júnior desce de escada. Percebe que a rachadura se repete a cada piso. Uma discreta ameaça. O porteiro não está na guarita para abrir o portão. Júnior espera. Ansioso por um café e pelo primeiro cigarro, anda até o portão. Passa o braço pela grade e aperta o interfone preso do lado de fora. Está dentro e fora. Em poucos segundos o porteiro surge correndo. Abotoando as calças.

— Vai sair?

— Eu só toquei porque não tinha você.

— Então não vai sair?

— Não, quer dizer, vou. Só estou falando isso para você não pensar que estou do lado de lá chegando. Para não pensar que toquei para entrar. Entendeu?

— O senhor já está dentro. Por que eu ia pensar isso?

— Não é isso. É que eu toquei de fora, entendeu?

— O senhor vai ou não vai sair?

— Vou.

O porteiro aciona o botão que destrava a saída. Júnior, por um momento, parece ausente e permanece ali parado, olhando confuso para o porteiro.

— Ou o senhor sai ou o senhor entra. É perigoso deixar o portão aberto.

Júnior sai. Cai uma fina garoa. O céu está cinzento. 1235522027. Tampa do distribuidor. Caminha com cuidado porque a bota de alpinismo fica escorregadia no piso molhado. Não devia ser assim. Há poucas pessoas na rua. Júnior faz o trajeto até o bar do Mundinho. Mundinho acena de longe.

— E aí?

— E aí? Vamos tomar um café?

— Acabei de tomar, mas vamos lá. Vou te fazer companhia. Sonhou?

— Não lembro.

— Não quer fazer uma fezinha?

— Eu estou sem palpite.

— Hoje vai dar leão.

— Leão?

— É. Eu sonhei que estava dirigindo. Sempre que sonho que estou dirigindo, é batata.

Júnior pede um expresso e pão na chapa.

— Eu vou precisar da tua ajuda.

— Dinheiro?

— Não. É uma coisa mais complicada.

— Conta comigo, meu irmão.

— Eu... Estão armando pra cima de mim.

— Quem está armando? Cê tá enrolado?

Chega o pão. Júnior come metade.

— Eu não ando legal da bagunça.

— Sei. E o que tá rolando?

— Eu acho que me enrolaram.

— Cê sabe quem?

Júnior termina o café numa golada.

— Pior é que eu sei. Quer? Eu não vou comer esse outro pão. O que será que o meu pai vai falar? Antes de morrer?

— Teu velho está doente?

— Não.

— Quem tá armando pra cima de você?

— Eu não posso falar isso aqui.

— Aqui é minha área, velho. Aqui cê pode ficar tranqüilo.

— Não dá para falar ainda. Eu só quero que você saiba que, se alguma coisa acontecer comigo, foi coisa armada que armaram.

— Cara, fala qual é a parada.

— Estão tirando umas coisas de mim.

— Mas cê não tá morando na casa do teu velho? Alguém entrou na sua casa?

— Estão tirando coisas de dentro de mim. Eu preciso ir.

— Ô! Agora eu fiquei curioso.

— A gente se fala.

Júnior tira uma nota de cinco e larga no balcão. Mundinho segura seu braço.

— Vai, velho, desembucha.

— Não dá pra falar. Mas...

— Fala.

— É coisa de atuar no braço.

— Hein? Não peguei.

— Meu pai está armando com a moça que aluga um quarto lá.

— Teu pai, cara?

— Eu sou o herdeiro.

— Porra! Teu pai não ia armar pra cima de você. Eu conheço o velho, ele é gente fina.

Júnior sua frio.

Eu tenho que ir. Ele diz que namora uma mulher, mas eu acho que ele está tendo coisa é com a moça.

— Meu, teu velho não ia armar pra cima de ti.

— Eu estou com um cansaço na cabeça. Acho que estou ficando doente.

— Isso é virose.

— Eu vou.

— Porra, com essa você me deixou cabreiro.

— Eu ando meio... confundindo as coisas, sabe? Vou te mostrar um negócio.

Júnior volta a sentar no banco junto ao balcão. Puxa uns guardanapos. Pede uma caneta ao garçom. Mundinho é mais rápido e saca uma Bic do bolso. Júnior quadricula um guardanapo. É um daqueles papéis acetinados que nada absorvem. Cruza as linhas muito próximas, gerando minúsculas células, e passa a distribuir o alfabeto. Mundinho observa intrigado. Um homem baixo, bigodudo e gorducho se aproxima. Quer jogar no camelo. Mundinho saca o talão e anota o palpite. Júnior amassa o papel e aproveita a deixa para fugir. Mundinho grita:

— Espera aí, ô!

Júnior não espera. Mundinho entrega o jogo ao freguês. Guarda o talão e apanha o papel que Júnior amassou e jogou. O alfabeto distribuído em minúsculos quadradinhos.

5

Júnior não chega a levantar. Arrasta o corpo do sofá e se ampara na mesinha de centro. Traça linhas cruzadas na folha de um caderno sem pauta e distribui o alfabeto repetidas vezes. Depois tinge com bolinhas cada letra da frase. *Heir's Pistol Kills His Wife; He Denies Playing Wm. Tell.* Júnior repete essa operação por horas ininterruptas. De vez em quando acende um cigarro. Agora tudo começa a se encaixar. Tudo faz um estranho sentido. Tem consciência de que nos últimos dias não consegue lembrar de certas palavras, mas isso não lhe parece importante. Talvez por isso passe mais tempo calado. Hoje começou a sentir dificuldade até para encontrar palavras que o ajudem a pensar. Júnior não quer mais depender das palavras. Eletricidade em vez de palavras. A ameaça não parece apenas externa. Os gráficos expressam o que ele não consegue dizer. O abstrato é o que importa. Quanto mais ele compreende suas tramas, menos sentido o mundo externo parece fazer. A velha rotina não consegue mais ganhar sua atenção. Por isso cria uma nova. Está cansado de tudo. Exausto. Pouco importa o que podem dizer os médicos, para Júnior isso já não faz diferença. Agora, só lhe interessa o empírico. A eletricidade gera imagens. As imagens, nessas circunstâncias, adquirem mais poder que a palavra. Eletroquímica. O que ele não desconfia é que até essa linguagem será igualmente afetada. Igualmente corrompida pela mesma estranha causa que degenera seu cérebro. Um parasita destrói seu cérebro. Em contrapartida seus sonhos se tornam cada vez mais reais, cada vez mais convincentes. Júnior volta à casa de madeira todas as noites. Não é um sonho recorrente, é apenas um lugar. Um cenário recorrente. A casa de madeira. O sonho sempre começa com ele acordando. Como se fosse uma vida paralela. Dessa vez é ele quem acorda com o cheiro do cigarro. Abre os olhos, vê sua mãe. Ela nunca fumou, mas ele não estranha esse fato. Não se questionam essas coisas nos sonhos. O sonho se faz meticulosamente convincente e real. Mãe? Ela sorri, mas não fala. Mesmo assim Júnior entende o que ela quer dizer. É algo que está lá fora. Júnior sai da cama e caminha até a janela. Avista a paisagem marinha. A mesma que alguém reproduziu no quadro que lhe causava mal-estar. Não é um daqueles sonhos em que se suspeita que se possa estar sonhando. É como outra vida. Júnior se comunica sem palavras com a mãe. Telepaticamente. Cada imagem abstrata que a mãe pensa reflete em sua mente já decodificada. Ele entende o que ela quer dizer. A cabeça, o ex-voto do irmão, não está com o nome do irmão porque o nome foi escrito num pedaço de papel que ela pôs ao lado da réplica. Mesmo assim é fácil identificá-la, porque Natan, o artista que a confeccionou, assinou seu nome debaixo da base. É dessa forma que Sênior deve encontrar a cabeça de Pedro.

6

Quando ouve a porta do quarto de Bruna se abrir, percebe que está acordado. Diagramou folhas e mais folhas em transe absoluto. Distribuiu a frase tingindo de preto cada minúsculo quadrado com a respectiva letra. Depois ligou os pontos. É dia.

— Acordado?

— É. Acho que sim.

— Engraçadinho.

— Você já reparou que, cada vez que a gente acorda, tem que inventar tudo de novo?

— Tudo o quê?

— Temos que inventar tudo. Todo o passado. Isso é a memória. Essa coisa de inventar todos os dias enquanto passamos do... como se chama?

— O quê?

— Isso, o outro coiso de quando estamos dormindo?

— Que outro coiso?

— A gente faz isso rápido. É bem rápido, mas a gente faz isso todos os dias na hora que começa a vir para cá.

— Para onde?

— Para cá. Para acordar. Eu percebi quando fazia isso. É tudo invenção, sabe. É como aquele coiso... Como se diz?

— Eu sei lá. O que é isso que você está fazendo?

— A frase. Pode vendo?

— Mas a Letícia já mandou a tradução.

— Aquilo é besteira. Eu, você, tentar coisar uma amiga e tudo. Mas é besteira, não existe.

— Quem não existe, a Letícia?

— O inglês não existe.

— Tchau, eu vou tomar banho. Estou atrasada.

Bruna se fecha no banheiro.

— Isso é o que a gente chama de como é mesmo?

Júnior fala alto.

— Tudo tudo coisa sabe? Eu só não consigo lembrar agora.

7

Júnior acorda. É dia. Sua cabeça dói. A casa está silenciosa. Levanta e vai conferir os quartos. Não há ninguém. Pega café e acende um cigarro. Apanha um caderno e se posiciona na mesinha da sala. Cruza linhas na página. Diagrama. Distribuiu o alfabeto de forma seqüencial, reiniciando o movimento a cada linha. A repetição é compulsiva e sistemática. Depois de completar duas páginas espelhadas, passa a pontuar cada uma das letras da maldita frase. Depois, traça cruzando figuras. Procura compreender as formas que surgem com o cruzamento. Formas e espaço. O sentido da frase. Segue cruzando linhas, construindo gráficos. A cada nova folha a complexidade de sua geometria parece mais confusa. Os movimentos, mais frenéticos. Júnior entra em transe. Enquanto ele executa sua matemática, o corpo se contorce. Acalma. Embora suas mãos e sua cabeça continuem em grande frenesi. Não consegue deter o ataque. Entra em convulsão. Apaga e cai. No vão entre a mesinha e o sofá.

Sênior chega trazendo um prato coberto com papel-alumínio. Pára ao ver o filho encolhido no chão. Já passou o acesso. Júnior nem percebe sua presença.

— E aí, meu filho?

— Oi, pai. Eu peguei um desses seus coiso de ficar papel, papel, como chama?

— Um caderno?

— Não. Esse monte. Esse coisa, essa coisa...

Júnior diz isso mostrando o caderno.

— Que que há com você, meu filho?

— Eu não sei. Eu esqueço confuso de falar essas coisas, mas eu acho que estou entendendo o que isso é.

— E o que é?

— Isso.

— Isso o quê?

— Das palavras. Essa frase. É isso. Eu estou entendendo toda essa coisa dessa frase. Essa frase quer dizer muitas coisas diferentes de...

Sênior ajuda o filho a sentar no sofá. Senta ao seu lado e o abraça.

— Que está acontecendo?

— Eu não sei. Eu ando, ando não, fico. Esquecendo de lembrar palavras.

— Você ainda tem direito ao convênio?

— Como assim?

— O convênio médico, pô!

Júnior olha para o pai. Agora é o coração do velho que perde o ritmo. Como se Sênior intuísse que, seja o que for que esteja acontecendo, é algo grave e irreversível.

— São três horas da manhã.

— Eu só vou fumar um prato.

— Um prato?

— O que foi que eu falei?

— Boa noite.

— Que mais eu posso fumar, caralho!

Imaginário

1

O dia promete ser quente. Oito e quarenta e cinco da manhã no relógio de pulso do pai. Medo nos olhos de Júnior. Mais uma peça trocada no quebra-cabeça abstrato. Uma sensação de pavor irradia de sua nuca e se apodera de seu corpo. Sênior deixa a Dutra e estaciona num posto de gasolina. Desliga o motor. O coração de Júnior dispara. Júnior salta do carro. Não consegue respirar. Nunca pensou que entraria numa prisão. Ao mesmo tempo, sente que não é isso que o perturba. Sênior acha que ele está fazendo manha para fugir do compromisso. Júnior anda em círculos com as mãos no pescoço. Sênior olha para ele com um sorriso irônico.

— O que estamos fazendo aqui?! Por que o senhor parou?

— Vamos tomar um café e comprar Coca-Cola.

— Por que o senhor não trouxe o refrigerante de casa? Vamos acabar logo com isso.

— Porque esse é o posto que fica mais perto e assim o refrigerante chega gelado.

— Eu vou esperar no carro.

— Quer um café? Eu trago.

— Pode ser.

— Não quer usar o banheiro?

— Não.

Júnior volta para o carro. Descobre que não gosta de viajar. Sente um mal-estar quando pega a estrada. Depois da última viagem, esse desconforto tornou-se insuportável. Sente que o destino é incerto, e toda viagem lhe traz a idéia de morte. Isso lhe ocorre agora. Está tomado de pavor. Confuso. O rosto banhado de suor. O coração saindo pela boca. Uma lembrança preenche o vazio dessa estranha sensação. Lembra do trajeto que fazia quando menino para o clube de campo. Clube de Campo Itapevi. Lá ele passou quase todos os domingos de sua infância. O clube era no meio do mato. No meio do nada. Ficava no epicentro entre Jandira e Itapevi. Numa região despovoada entre as duas pequenas cidades a poucos quilômetros de São Paulo. Aquele lugar o marcou. Parece só se dar conta disso agora. Parado no meio da estrada. A caminho de um lugar assustador. Aquela velha estradinha rumo a Itapevi depois que deixavam a Castello Branco. Agora, algo levantava a poeira e trazia à tona esse mundo incoerente. Agora que não precisa mais ocupar a cabeça cuidando da mulher e do filho. Agora que não precisa entrar no transe da rotina. Agora que não ocupa o tempo com o trabalho. Agora que é Júnior e voltou a morar com o pai. Agora sua cabeça é novamente livre para temer. Como no ditado, oficina se faz. O assombro que a natureza pode causar num menino urbano. Ou em qualquer menino. Os pais e o irmão pareciam se divertir. Mesmo Olga, que não gostava de nada, adorava o clube. Júnior só gostava da piscina. Fora isso, o lugar o amedrontava. Domingo sempre foi um dia depressivo para ele. Embora tivesse amigos no clube, passava a maior parte do tempo sozinho. Quando estava com os outros da sua idade, sentava no balanço e pensava em sexo e no sobrenatural. Para os outros isso podia causar um frio agradável na barriga, para ele o frio se entranhava fundo. Via fantasmas. Sentia sua presença. Quando as conversas acabavam e ele saía para brincar, todo aquele assombro se apoderava de Júnior e ecoava em estranhas visões e sensações que ele guardava. Nunca dividia com ninguém. Sentia o frio que as manifestações causam quando querem materializar-se.

Como era pequeno e medroso, fugia dos esportes. Futebol e basquete. Preferia explorar as cercanias do clube. Andava pelo mato colecionando e observando insetos e aracnídeos. Sabia como a peçonha se manifesta na diferença do formato da cabeça das cobras. Era Júnior quem julgava se era venenosa ou não e transmitia a sentença aos colegas. Ele atravessava os limites do clube e caminhava na terra de ninguém. Lá havia um grande lago infestado de girinos. Ele os aprisionava em potes e observava as diferentes transformações que antecedem a forma adulta do sapo. Os girinos atraem as cobras. Havia sempre uma ameaça. Muitas vezes visível. Havia uma pequena casa caiada. Um cachorro bravo nunca deixou que ele se aproximasse muito daquela morada. Falar de fenômenos paranormais estava muito em moda. As crianças assistiam juntas ao *Fantástico* antes de deixar o clube, enquanto os pais jogavam cartas e bebiam uísque na sala de jogos. Era um clube simples, freqüentado por pessoas de classe média. Naqueles primeiros tempos de *Fantástico* o programa trazia matérias sensacionais sobre o mundo do oculto. Na penumbra da sala de TV do clube, iluminada apenas pelo monitor de um velho aparelho, projetou-se em sua mente, em preto-e-branco, a assustadora possibilidade do sobrenatural. Durante todos esses anos essa sensação parecia haver desaparecido, mas estava apenas dormente. No programa viu o russo que imprimia filmes fotográficos com o pensamento. Viu pessoas que se comunicavam com os mortos. Conheceu as previsões apocalípticas de Nostradamus. Telepatia, telecinesia, o duplo e os mundos paralelos, aparições, óvnis e possessão demoníaca. Certa vez chegou a ver uma criatura estranha em meio a suas explorações. Um velho caboclo de terno branco e chapéu de palha. Desdentado. O velho apontou para ele. Quando abriu a boca, saiu o som da cigarra. Depois riu. Júnior correu apavorado. Até mesmo os adultos diziam ter avistado naquela região uma negra com mais de dois metros de altura e com expressão demoníaca. Nas noites no clube de campo as crianças, a maioria meninos, longe dos olhos dos pais experimentavam outras sensações do desconhecido. Iniciavam-se em jogos sexuais. Essas experiências causavam impressões duradouras. Para Júnior tudo aquilo se misturava, traçando um forte vínculo entre o sexo e o sobrenatural, entre o sexo e o obscuro. Lá ele sentiu seu pau sendo apertado entre as coxas de meninas e meninos, e recebeu a mesma experiência, apertando entre as coxas o pau dos outros meninos para que todos pudessem provar do prazer. Naquela época nenhum deles ejaculava, e o que interrompeu esse jogo semanal foi justamente quando o primeiro garoto esporrou. Então a brincadeira lhe pareceu suja e perigosa. Parou de brincar. Dedicando cada vez mais tempo às profecias e às histórias sobrenaturais. Alguns continuaram, mas Júnior não. Estudava em colégio de padres e ainda acreditava em pecado. Isso só o deixou ainda mais isolado. Por alguma razão, essa temática enraizou-se tão fundo nele que acabou gerando uma visão sinistra do mundo. Aos poucos essa sensação foi se dissipando, soterrada pela rotina e pelas experiências do cotidiano. Mas permaneceu nele, e com as recentes desilusões começou a ganhar força e se apoderar de seu inconsciente. 2006382156. Pinhão da partida. Sem a rotina, sem as distrações, sem que o mundo externo possa exercer seu fascínio, essas impressões estão agora contaminando o seu interior. Ele começa a se dar conta disso, nesse milionésimo de segundo em que foi invadido por um pavor inexplicável.

Sênior volta trazendo o café e sacolas. Percebe o filho banhado em suor. A expressão de medo e a respiração ofegante. Não diz nada. Dá partida no carro e volta para a estrada, em direção a Pindamonhangaba. Tremembé, cento e trinta e três quilômetros de São Paulo. Dois litros e meio de Coca-Cola gelada, um pacote de Marlboro vermelho, bolachas, chocolates e balas descansam no banco de trás. Parece que vão visitar crianças. Pegam um acesso e fazem o contorno por baixo da rodovia. Seguem uma estradinha. No caminho a série de complexos penitenciários vai ganhando o cenário. Depois de quatro grandes presídios, Sênior entra à esquerda e estaciona debaixo de uma árvore junto a outros veículos. Sete. Júnior conta.

É um lugar silencioso e amplo.

— Preciso deixar o relógio. Sempre me esqueço de tirar o relógio.

Sênior abre o porta-malas e guarda a carteira e o relógio.

— Guarde suas coisas aí. Só pode entrar com o RG.

— E os coiso?

— Que coiso?

Júnior mostra o maço de cigarros.

— Isso pode. O isqueiro também.

Esvaziam os bolsos. Sênior apanha a sacola e entrega a Júnior. Pega os potes plásticos com a comida fria. Macarrão parafuso com molho vermelho, frango assado já desmembrado, salada de tomates com cebola, arroz. Caminham até um portão de ferro. Não parece um presídio de segurança máxima. Não é como Júnior imaginava. Ele não consegue entender as letras embaralhadas na placa. Penitenciária Dr. José A. C. Salgado de Tremembé. Sênior se aproxima do pequeno guichê e entrega uma carteirinha amarela.

— É a primeira vez dele.

Júnior entrega o documento de identidade. O homem do outro lado lhe entrega uma ficha.

SENTENCIADO:

MATRÍCULA:

NOME:

RG:

PARENTESCO:

AUTORIZAÇÃO:

TREMEMBÉ, DE DE .

Sênior ajuda a preencher a ficha. Depois cede a vez na revista.

— Vai primeiro.

Um funcionário o encaminha a um pequeno vestíbulo ao lado do guichê.

— Tiro tudo?

— Pode ficar de cueca. Pisa ali no engradado.

Júnior começa a se despir sobre a peça de madeira.

— Foi comprovado cientificamente que não é bom pisar descalço no chão frio.

O homem diz isso enquanto revira as roupas de Júnior. Revista os bolsos, as costuras, as solas da botina para longas caminhadas, o maço de cigarros. Enquanto Júnior permanece de pé sobre o pequeno estrado de madeira. Depois o homem pede que ele abaixe a cueca.

— Pode virar. Ok. Pode se vestir.

Júnior sai. Sênior entra. Júnior acende um cigarro. Estranha a calma ao redor. Vê à distância, passados os portões da entrada, uma casa. Não era assim que imaginava o presídio. Ao lado, num quiosque, dois homens revistam os alimentos que Sênior levara. Um deles pergunta a Júnior:

— Você está com aquele senhor?

— É meu pai.

— Essa bolacha não pode entrar. Quer pôr no carro?

— Não sei.

— Aqui não pode entrar bolacha recheada.

Sênior saía da revista quando ouviu a conversa.

— Puxa! Desculpa, eu sempre me esqueço disso. Pode ficar pra vocês.

— Eu prefiro que o senhor guarde no carro.

— Pode ficar.

Enquanto isso o outro funcionário abre a garrafa de Coca e cheira o conteúdo. Sênior pede ajuda do filho para carregar as comidas. Caminham uns trezentos metros até chegar à entrada do primeiro pavilhão. Agora, sim, a imagem é mais próxima do que Júnior idealizou. Entregam os documentos, atravessam uma porta de ferro e depois cruzam mais duas passagens com grades pesadas. Chegam ao corredor interno que leva ao pequeno pátio desse complexo. Os detentos vestem uniforme alaranjado. Júnior avista o irmão. Fazia muito tempo que não o via. Seus olhos se embaçam. O irmão parece outra pessoa. Muito magro e queimado de sol. Não há expressão alguma em seu rosto. Ele beija o pai e estende a mão ao irmão. Agradece as compras e os convida para ir à sala de visitas. A sala é um refeitório e está cheia de famílias almoçando. Seus rostos parecem caretas. A careta da dor disfarçada de alegria. Em cada uma das mesas há um homem trajando um uniforme alaranjado.

— Quando teu irmão soube que eu vinha, quis vir comigo. Estava doido pra te ver.

— Legal.

— Eu vim. Eu queria.

— Senta.

Sênior faz o prato dos filhos. Ninguém tem nada para dizer. Sênior dá um jeito de iniciar um diálogo.

— E como vão as coisas?

— Tudo bem. O senhor conseguiu encontrar aquela parada?

A cabeça. A idéia fixa. Sênior diz que continua procurando.

— Isso tá me fodendo.

Sênior se esforça em arrastar a visita até o fim do horário permitido. Fracassa. O silêncio pesa. Para Pedro o único assunto que interessa é a cabeça. Às três horas Júnior e Sênior se despedem. Pedro parece aliviado. Para Sênior, deixar o presídio é mais doloroso do que entrar. Júnior respira profundamente ao cruzar o portão. O velho retira os pertences do porta-malas enquanto Júnior observa um gato cinzento que sai de debaixo do carro e se aproxima com ar amistoso. Mia para ele como se Júnior fosse seu dono.

— Aparecida fica a um pulinho daqui. Não quer me ajudar a achar a cabeça do teu irmão?

— Por hoje chega, né, pai?

2

Júnior desperta com o perfume do café. Nunca acorda em casa. Ouve a água fervendo e o farfalhar do saco de pães. A engrenagem da torradeira. A pesada porta da geladeira. O relógio do vídeo pulsa, mas o tempo não passa. Júnior tenta levantar, não consegue. O corpo não reage ao comando. Paralisia. Permanece um tempo apoiado nas mãos. Congelado num movimento. Um movimento que esqueceu de continuar. Há um vazio na cabeça. Um vazio gigantesco. A desconcertante sensação de que sua mente está conectada ao espaço. Ouve o sussurro de muitas vozes.

— Filho?

— Quê?

— Eu preciso sair. Você não vai levantar?

— Quem?

— Quem o quê?

— Quem falou?

— Falou o quê, porra?

— Em mim.

— Você está dormindo de olho aberto ou o quê?

Júnior olha fixamente para o pai. Não responde. Sênior se sente ameaçado.

— Qualquer coisa, liga no meu celular.

— Não serve.

— O que não serve?

Júnior faz uma cara feia e repete com voz afetada:

— *O que não serve?*

— Você está bêbado ou o quê?

— *Ou o quê.*

Mesmo com um frio na espinha, Sênior beija o rosto do filho. 0227100142. Júnior recupera os movimentos quando o velho deixa a casa. José Lopes Rodrigues Júnior abre o chuveiro. Entra na água fria. O vazio em sua cabeça é tão forte que teme um desmaio. Apavorado, procura vencer o desconforto. Bruna esqueceu o shampoo no banheiro. Júnior enche as mãos de shampoo. Cobre a cabeça com uma farta espuma, depois espalha a espuma no pau e bate uma punheta. O pau não fica duro, mesmo assim ele goza. Ao gozar, sua vista escurece. Treme. Sente um pavor incontrolável. 0258986501. Bruna. Volta para o sofá enrolado na toalha. Apaga. Nos sonhos esse desconforto não existe. Não existe o cansaço mental. Esse cansaço que, de tão intenso e profundo, turva seus pensamentos e dispara seu coração. Toda a sua energia, toda a sua força, se empregam nessa fraqueza.

Sobre a pilha de cadernos e folhas na mesinha da sala está a versão em português que a amiga imaginária de Bruna decifrou.

Daily News, sábado, 8 de setembro de 1951

HERDEIRO MATA ESPOSA COM TIRO DE PISTOLA;
ELE NEGA QUE BRINCAVA DE WILLIAM TELL

Cidade do México, 7 set. — William Seward Burroughs, 37, admitiu depois negou estar brincando de William Tell quando matou a jovem esposa com um disparo durante uma festa regada a bebidas ontem à noite.

3

A hora é a mesma. Sempre. Júnior acorda banhado de suor. Ouve estranhas vozes que conspiram no quarto do pai. Sussurram. Aproxima-se da porta do velho com cautela. O coração disparado. O som é confuso e constante.

Provocado por várias pessoas. Não consegue entender o que dizem ou distinguir as vozes. É possuído novamente pelo pavor. Sabe que tramam contra ele. Espia pelo buraco da fechadura. Não consegue ver nada. Abre cautelosamente a porta do quarto de Bruna. Ela dorme. Ou algo se faz passar por ela. Olha pelo buraco da parede. Só consegue ver o escuro. Não se dá conta de que do outro lado há o pôster e a porta do armário. Volta à porta do pai. Cola o ouvido. Murmuram. Sente que há algo de infernal nessas vozes. O sobrenatural reaparece. Os velhos fantasmas. A cabeça. Cisma que sua cabeça foi ofertada à Abominação. Foi contaminado pela mesma idéia fixa que aprisionou Pedro. As criaturas que sua mãe cultuava. O Espírito Medonho. Por impulso, corre para o telefone.

— Alô? Márcia? Alô?

— Júnior?

— Chama ele, chama ele, chama ele pra mim.

— Júnior? Chamar quem? Você sabe que horas são?

— Chama o Júnior pra mim, chama o Júnior pra mim, rápido.

— Que Júnior? Você está bêbado? São três horas da madrugada, já passa das três, aliás, você está bêbado!

— Márcia, chama o Júnior, eu preciso falar com o Júnior. Eu preciso falar agora, é importante, Márcia, chama ele pra mim, rápido, eu não posso falar alto, por favor, eu estou te pedindo, chama o meu filho pra mim.

— Seu filho não se chama Júnior, seu imbecil! Eu preciso dormir. Vai curar sua bebedeira pra lá.

— Alô!? Alô!?

Filha-da-puta, desligou! Eu não tenho tempo. Filha-da-puta!

— Alô, Márcia, não desliga! Não desliga! Chama o meu filho, eu preciso falar com ele, é importante, chama ele pra mim, Márcia, eu estou te pedindo, você me deve essa, por favor, chama o Júnior pra mim, eu tenho que falar com ele agora, vai, Márcia, chamar o Júnior pra mim agora, eu estou implorando, por favor, por favor, vai chamar ele pra mim...

— Que Júnior?

— Márcia, não dificulta as coisas. Você sabe o que eu estou falando, eu sei que você sabe, então, por favor, não dificulta as coisas, eu estou te pedindo educadamente, caralho! Então, educadamente, por favor, não torne as coisas mais difíceis, Márcia. Por favor, pelo amor de Deus e do cu da tua madre, chama o Júnior pra mim, Márcia.

— Você está chamando o Caio de Júnior, é isso? Eu não vou chamar o Caio a essa hora. Liga amanhã, quando você estiver sóbrio.

— Não desliga, não desliga, por favor, não desliga, eu te imploro! Você me deve essa, Márcia. Você me deve essa. Eu preciso falar com ele agora.

— Com ele quem? Diz!

— Com o meu filho, porra! Eu quero falar com o meu filho! Chama o Júnior agora!

Filha-da-puta! Filha-da-puta! Ela desligou.

Ele segura a cabeça entre as mãos. Tenta novamente, mas só dá ocupado. Ela deve ter tirado do gancho, deduz. Abre a porta da estante e apanha uma garrafa. Bebe sem fazer careta. A bebida só arde quando chega ao estômago. Toma coragem. Invade o quarto do pai. Acende a luz.

— Cadê todo mundo? — grita furioso, ameaçando agredir o pai com a garrafa.

Sênior acorda.

— Que isso? Tá louco?

— Cadê os... os outros... O que querem de mim?

Sênior levanta. Gesticula com as mãos, pedindo calma. Júnior vacila. Sênior o abraça com força.

— Fica calmo. Está tudo bem.

O cansaço toma conta dos dois.

4

A recepção do hospital está lotada. Uma sala ampla que parece menor do que é e mais estreita, sufocante, devido à quantidade de cadeiras, pela forma como as fileiras estão arranjadas e pela quantidade de pessoas derrotadas pelo desânimo. Cadeiras de plástico vermelho ocupadas por homens e mulheres cinzentos. Sênior pergunta ao segurança o que deve fazer para passar no neurologista. O segurança informa que é preciso tirar uma senha e aguardar o número aparecer no painel digital. Depois esperar pela indicação do guichê. Diz que no guichê ele deve informar o problema. E enfim aguardar que o chamem pelo nome. Há quatro guichês. Só um está funcionando. Sênior aperta o botão laranja numa engenhoca suspensa por uma haste. 135. Destaca um pequeno papel. Júnior parece confuso, perturbado com o burburinho. Sênior aproveita um assento vazio. Oferece ao filho, que diz não com a cabeça. Júnior está suando muito. Faz mímica para o pai entender que ele vai fumar lá fora. Há dois homens e uma mulher fumando próximo a uma pequena caixa de madeira cheia de areia. Escarradeira & cinzeiro. Observa o motorista da ambulância que conversa com uma moça de touca azul. Sofre de um cansaço mental cada vez mais constante. Sabe que algo está errado. Pressente que, seja o que for, é irreversível. Sem perceber, segura a cabeça entre as mãos. O hospital torna sua impressão ainda mais concreta. Pressente o pior. Doença. Internação. Morte. Sente que não é um lugar em que alguém pretenda ajudar. Ao contrário, é como se fosse uma estação de passagem para a morte. O suor se torna frio. Há um tremor incontrolável em suas mãos e no pescoço, onde uma veia grossa pulsa com força. Uma sensação de desconforto crescente. Sente-se desorientado. Vertigem. Não quer olhar nos olhos das pessoas que fumam ao lado da pequena caixa. Desvia o olhar para um canteiro. Um jardim descuidado. Um formigueiro. Fazia muito tempo que ele não via um formigueiro assim. Um montinho de terra. *Como chama mesmo isso?* A fraqueza se espalha pelo corpo. Júnior acocorado no chão. O cigarro não cai bem. Levanta e a vista escurece. A sensação do sobrenatural é mais forte no corpo doente. Mal-estar. Todo o seu organismo parece afetado. Levanta lentamente. Entra na sala. Sênior faz sinal para mostrar um lugar a seu lado. Júnior abre caminho sem pedir licença. O pai conversa com uma senhora negra. O burburinho parece um mantra medonho. Parece evocar criaturas das profundezas. A confusão mental embaralha ainda mais aquelas vozes.

— Vamos embora, pai.

— Não. Vamos esperar. Pelo andar da carruagem a gente vai passar o dia todo aqui, mas agora vamos até o fim.

O hospital lotado. Gente feia e doente.

— O que você está sentindo?

— Cansado. A cabeça coisa. Dá aqui um negócio, confuso. Cansa.

— Vamos ver o que o médico fala.

— Um monte de coisas que aparece com essa coisa de repetir, repetir, repetir.

— É melhor você se acalmar. Quer tomar uma Coca?

— Repetindo, sabe, pai? Umas coisa ruim.

— Sei. Eu vou buscar uma Coca-Cola pra você. Quer comer alguma coisa?

— Muito ruim, pai.

Sênior tenta tirar uma Coca da máquina. A máquina não aceita sua nota. Júnior corre para fora segurando a cabeça. Sênior corre atrás. Segura o filho, que está muito agitado. O tremor toma conta de seu corpo. Júnior cai de costas. Entra em convulsão. A moça de touca corre e segura sua cabeça. Vira seu corpo de lado para ele não engasgar. Júnior apaga. Recobra a consciência numa maca do hospital. No ambulatório. O pai não está lá. Uma enfermeira verifica o soro.

— Passou?

Júnior não consegue falar. Não sabe o que dizer.

A boca está seca.

— Pai?

— Aquele senhor é seu pai?

Pergunta infeliz. Júnior sabe que não. É só uma réplica.

Algum tempo depois o velho entra.

— Já estão chamando o nome dele.

— Eu acompanho vocês. Me ajuda a levantar o rapaz.

Finalmente entram na sala do médico. Um oriental mal-humorado. Nem olha para eles.

— O que está acontecendo?

— Ele não está bem.

— O que você sente? — O médico direciona a consulta para Júnior.

— Fraco confuso. Cabeça aqui, cansado.

— Ele às vezes fica assim confuso, não fala coisa com coisa. E tem uns ataques epiléticos.

— Faz tempo que ele demonstra essa dificuldade para falar? Ele consegue ler?

— Consegue, filho?

— Demônio, demônio, demônio. Eles falam.

— Senta ali na maca.

O médico ilumina os olhos de Júnior com uma pequena lanterna. Pede que abra a boca. Mete a luz na garganta. Depois ilumina os ouvidos. Cutuca as costas. Aperta a garganta. Ausculta vários órgãos. Pede que Júnior tussa. E tussa de novo. O médico manda que desça da maca. Criptografa uma receita.

— E então, doutor?

— Vou pedir uns exames.

— Mas o que é?

— Você tem notado algo em suas fezes?

Júnior não percebe que é com ele que o médico fala.

— Hein, filho?

— Quê?

— Viu alguma coisa diferente no seu cocô? O doutor está te perguntando.

Júnior nega com a cabeça.

— Ele tem um histórico epilético?

— Não. Começou a ter esses ataques agora.

— Ele apresenta alteração de humor?

— Como assim?

— Alteração de comportamento.

— Ah! Isso o tempo todo.

— Ele fica agressivo, ou apático?

— Muito. Ele muda de uma hora pra outra.

— Você entrega essa via no guichê. Vou pedir uns exames. Estou prescrevendo uma medicação.

— Mas o que é?

— Há uma chance de que seja neurocisticercose. Mas não dá para saber sem os exames.

— E o que é isso? É grave?

— Pode ser. Tudo indica que se trata de infecção por parasitose. Eu estou pedindo uma tomografia. O ideal seria uma ressonância nuclear magnética, mas nesses casos o serviço público não pode dispor dessa tecnologia.

— Uma virose?

— Não. Neurocisticercose. Uma infecção do sistema nervoso central por larva da *Taenia solium*.

— Mas isso é grave?

— Só vamos saber com os exames. A neurocisticercose causa uma série de manifestações psíquicas. Isso depende do número de parasitas presentes, de sua localização, tipo e tamanho. Esses sintomas que o senhor descreveu se enquadram nas formas clínicas mais comuns. E isso explica as alterações psíquicas e o quadro convulsivo.

5

Bruna entra. Apóia os livros na estante para poder trancar a porta. A sala está escura. Consegue enxergar pela luz que vem da cozinha o vulto imóvel de Júnior no sofá. Encontra Sênior tomando um copo de leite. O velho parece abatido.

— Oi, seu Zé.

— Oi, menina bonita.

— Foram ao médico?

— Passamos o dia lá.

— E o que ele falou?

— Esses médicos não sabem de nada sem um exame. Você passa o dia inteiro esperando para conseguir uma consulta e, quando consegue, o imbecil diz que precisa de uns exames.

— E fizeram o exame?

— Que nada. Ele quer uma tomografia computadorizada. Marcaram para daqui a três meses.

— Mas ele não disse nada? Nem o que pode estar causando isso? Não passou uma medicação, nada?

— Ele me borrou de medo, isso sim. Pelo visto a coisa é séria. Deu o nome de um remédio caro pra carilha que eu já comprei. Acho até que é por causa do remédio que ele está dormindo assim tão pesado. Pelo que ele falou, é lombriga.

Bruna abre a geladeira.

— Lombriga?

— Eu nunca tinha ouvido falar numa coisa dessas. Ele falou mais bonito, mas, pelo que eu entendi, poderia ser isso. Ele talvez esteja com foco de lombriga no cérebro.

— Credo!

— Que coisa, hein? Caramba! Agora eu olho pra ele ali parado e fico imaginando esses vermes comendo a cabeça dele por dentro. É horrível! Nunca que eu tinha ouvido falar numa coisa dessas. Eu vejo ele sentado e penso: tá dando de comer pras bichinhas. Que bosta!

— Eu vou dar uma pesquisada na internet. Também nunca ouvi falar numa coisa dessas.

— Olha aí, nesse pote tem uns salgados. A coxinha está uma delícia.

— Foi a dona Lurdinha que fez?

— Não, eu comprei lá numa cantina.

— Não fica triste, não, seu Zé. Ele vai ficar bom.

— Assim é a vida, né? Uma hora a gente deixa de acreditar que ela pode ser boa.

Bruna não encontra palavras. Coloca as coxinhas no microondas.

Sênior levanta.

— Bom, eu vou deitar.

— Espera eu comer, só pra eu não comer sozinha.

— Opa. Eu fico com você.

Sênior volta a sentar.

Ouve-se apenas o motor da geladeira e as engrenagens do relógio.

6

Bruna afina sua busca na internet. Copia trechos de sua pesquisa e cola num novo documento. Copia, minimiza o Explorer, e cola. Quanto mais lê, mais perturbada fica. Chega a sentir um aperto no peito, tamanho o horror que se apodera dela em forma de informações. O horror invisível. Vidas parasitárias se ocultam em inúmeras formas invisíveis e aparentemente inofensivas. Ela já havia estudado sobre o assunto na escola, mas nada do que se aprende na escola parece concreto. Na sala de aula sentia imunidade aos assuntos que eram estudados. Irrealidade e distância. Armazenava o que aprendia numa região distinta daquela em que guardava as experiências vividas. O conteúdo dos livros escolares era coisa de escola. Era matéria para a prova. Era uma fase que ficaria para trás.

PALAVRAS-CHAVE: Micoses do sistema nervoso

RESULTADOS: Neuroinfecções: Neurocisticercose — Teníase — Albendazol — Tomografia computadorizada — Síndromes coréicas — Cefaléias — Tumores

São numerosas as espécies de fungos que atuam como parasitos do sistema nervoso central. Entre as mais freqüentes afecções desse tipo figuram a candidíase, a criptococose, ou blastomicose européia, a paracoccidioidomicose, ou blastomicose sul-americana. A neurocisticercose é a parasitose mais comum do sistema nervoso central. Muitos dos infectados não apresentarão sintomas, porém a neurocisticercose é causa de síndromes neurológicas diversas e potencialmente graves. Epilepsia é o sintoma mais freqüentemente associado (Senanayake e Roman, 1993; Singh, 1997). Atualmente, praziquantel e albendazol têm sido considerados eficazes na terapêutica etiológica da neurocisticercose.

Quanto mais lê, mais assombrada e desorientada fica. Parasitas, invasores, alienígenas.

7

Júnior sente dificuldade em andar em linha reta. Há pequenos lapsos e ausências mentais, ele já não se dá conta. Caminha no sentido contrário. Não encontra o bar. Não sabe que tomou o caminho errado. A sensação é estranha. Ondas de calor e frio alternadas. O coração dispara. Vertigem, desorientação, perturbação. Entra numa lojinha de badulaques chineses administrada por coreanos. Produtos sortidos, coisas inúteis. Apontadores de lápis em forma de objetos em miniatura, guarda-chuva, pilhas, ungüentos e roupas. Pergunta pelo bar. A senhora coreana não entende. Fala do Mundinho.

— O cara do jogo do bicho.

A coreana não o entende. Quanto mais ansioso, mais difícil organizar as idéias.

— Nenhum bar. Nenhum bar — ela diz.

— Bar que tinha de ficava. Ficava aqui grudado perto. Mundinho.

— Nenhum bar. Ocupada. Eu ocupada.

— Ajuda eu tonto bebendo água eu preciso.

— Nenhum bar. Nenhum bar!

Júnior anda até o meio-fio. Observa a fachada. Está certo de que o bar ficava ali. Simplesmente sumiu. Tudo parece um sonho ruim. Pensa que talvez a cidade esteja perdendo a memória. Falha ao reinventar-se a cada dia. A cidade envelhece. Desolado, tenta voltar para casa. Segue confuso. Quanto mais anda, mais perdido fica. Caminha cada vez mais agitado e perdido. Acaba chamando a atenção de uma viatura. Um casal de PMs desce da viatura. Pedem os documentos. Júnior fala do bar. Confusão. Assustado, sofre um novo ataque. O homem da banca de jornal que passava por ali diz que o conhece. É conhecido de Sênior. Os policiais o levam para casa.

O Espírito Medonho

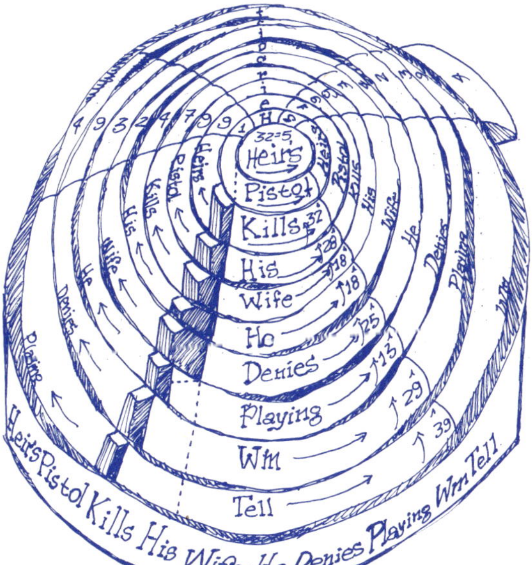

1

Como chama aquela coisa que escorre pra lá com pernas compridas que a gente põe quando vai comer? Só que é como onde o tempo não começa a escrever... Aquela coisa lisa... Como é isso que, quando entra na cabeça, a gente não sabe o que é? Como chama quando a gente é pequeno e não sabe como chama as coisa que a gente quer chamar?

Sem o menor motivo Júnior se levanta. Carrega a expressão da desilusão e mais nada. Respira com dificuldade. Procura lembrar o nome de algo disforme. Uma imagem que ele vê mas não consegue associar a nada do que existe. Não consegue encontrar a palavra. Júnior estende a mão e escreve. Júnior não é nome. Júnior balança a cabeça, que talvez seja réplica. Júnior ameaça dizer algo, mas não consegue. Ouve uma voz que já não é estranha. Escreve de forma frenética e compulsiva. Enche folhas e folhas dos cadernos. Escreve até se apropriar da frase. Até que a frase se torne a sua própria assinatura:

Heirs Pistol Kills His Wife;
He Denies Playing Wm. Tell

Bruna chega em casa. Júnior está dormindo no sofá. Bruna pára a seu lado. Descansa seus livros sobre os estudos de Júnior que estão sobre a pequena mesa. Ele parece estar em paz. Não há dor ou sofrimento em suas feições. Não agora. Bruna beija seu rosto. RPM. Ele parece mais magro a cada dia. Sua pele cada vez mais acinzentada. Bruna tira um bloco da pasta e arranca uma folha. Põe um desenho sobre os gráficos. Um novo presente. Um novo desenho de observação. Objetos de gesso. Sólidos geométricos. Estudo de luz e sombra. Bruna sorri. Preocupado porque escutou a porta da sala abrir-se e se seguiu o silêncio, Sênior indaga da cozinha:

— Bruna?

— Sou eu — ela fala baixo.

— Que susto.

Bruna vai até a cozinha para cumprimentar Sênior. Ele remexe nos objetos que retirou de uma caixa. Bruna nota o selo e a fita do Sedex. Um novo pacote.

— Outro?

— Chegou hoje.

— Ele viu?

— Não. Eu passei escondido. Acho melhor ele não ver essas coisas. Agora ele não pode mais nem sair sozinho.

Bruna se aproxima. Três CDs, uma série de postais com figuras mitológicas, uma moeda antiga e uma vela vermelha.

— Isso parece macumba.

— E eu que comecei a pensar que era ele mesmo quem enviava essas coisas.

— Sério? O senhor pensou isso? Por que ele faria isso?

— Sei lá. Porque tem que ser alguém. Que merda, isso! Por que não deixam o pobre coitado em paz? Por que mandam essas coisas? Eu não consigo entender.

Bruna percebe uma folha de revista amarelada e amassada. Desamassa. Uma página arrancada de uma edição de 1945 da revista *Seleções*. E mais uma página arrancada de um livro igualmente amassada.

— O que é isso?

— O quê? Essa folha?

— É.

— Não é nada. Estava embrulhando a vela.

— Olha esse anúncio.

— O que tem?

— Burroughs.

— É uma firma antiga. Acho que nem existe mais.

— Burroughs! Como o escritor. É isso! O senhor sabe qual a relação entre essa empresa e o escritor?

— Que escritor?

— Burroughs. William Burroughs.

— Eu só conheço a empresa com esse nome.

— Seu Zé, esse é o elo. É isso!

— Não estou te entendendo.

— O anúncio. A Letícia falou que era uma matéria de quando Burroughs matou a esposa. É claro! O herdeiro! O herdeiro da empresa Burroughs! Depois, o filme *Naked lunch*. É isso, seu Zé! É isso!

— Que seja. E daí? Isso não resolve nada. Por que mandam essas coisas? O que ele tem a ver com isso?

— Eu não sei, mas esse é o elo. Burroughs é o elo.

— Tem essa outra folha.

Não há nada nas margens ou no rodapé que indique a procedência, o título ou a autoria do livro. Como as páginas estavam numeradas com algarismos romanos, Bruna deduz tratar-se de um apêndice de alguma obra. Lê um pequeno trecho. Seu inglês é suficiente para que ela decida não prosseguir a leitura.

> INVOCATION
>
> This book is dedicated to the Ancient Ones, Lord of Abominations, *Humwawa*, whose face is a mass of entrails, whose breath is stench of dung and the perfume of decay, Dark Angel of all that is excreted and sours, Lord of Decay, Lord of the Future, who rides on a whispering south wind, to *Pazuzu*, Lord of Fevers and Plagues...

Enquanto conversam, Sênior passa os postais para ela. Uma figura chama a atenção de Bruna. Ela puxa o cartão e aproxima do seu foco de visão. É possuída por uma vertigem. Tudo gira. Um terrível mal-estar. Bruna começa a suar frio e quase desmaia. Sênior a ampara e a coloca na cadeira. Abana com o postal.

— Que deu em você? Sua boca ficou branca. Achei que você fosse desmaiar.

— Nossa! Foi horrível.

— Está melhor?

— Estou um pouco enjoada, mas a tontura diminuiu. Eu preciso usar o banheiro.

— Você quer alguma coisa?

— Não. Vira essa figura pra baixo.

— Essa?

— É.

Bruna se tranca no banheiro.

— Bruna, se você precisar de alguma coisa, grita.

— Eu estou melhor. Acho que a pressão caiu.

Ainda treme quando sai do banheiro.

— Acho que foi alguma coisa que eu comi. Me deu dor de barriga.

— É melhor você descansar um pouco.

Bruna resolve deitar. Não consegue conter o tremor. Sente frio. Sênior a acompanha até o quarto. Júnior permanece apagado. Bruna pede que Sênior fique no quarto até que ela durma. Sênior senta na cama e segura sua mão num gesto paternal. Bruna olha para o velho com gratidão. Continua pálida e trêmula. Sua expressão ainda demonstra o terror que a imagem causou. Ela suspira profundamente. Sênior segura sua mão.

— O senhor acha possível que a doença do Júnior tenha alguma coisa a ver com esses pacotes?

— Imagina, claro que não. Que bobagem. Nem pense uma coisa dessas.

— Será que…

— O quê?

— Por que eu fiquei assim agora? Foi aquela imagem. Ela... por que me perturbou assim?

— Você se alimentou direito hoje?

— É... mais ou menos. Olha, eu não paro de tremer.

— Sua mão está gelada. Foi só a pressão que caiu. Não fique pensando bobagens.

— Obrigado por ficar comigo.

— Eu vou buscar um copo de água com açúcar pra você.

— Não. Fica aqui. Eu não quero ficar sozinha.

— Eu estou aqui.

Com a presença de Sênior, Bruna se sente segura, e aos poucos relaxa. O edredom a aquece. O tremor passa. Aquecida e amparada, adormece. Dorme segurando firme a mão do velho. Sênior observa a moça. Queria ter mais coragem ou mais fraqueza. Se seu corpo pudesse seguir o comando das vozes que abafa em sua cabeça, talvez a vida valesse.

Quando Bruna adormece, Sênior volta para a cozinha e atira no lixo a caixa e tudo o que veio nela. Observa a figura. Para ele a imagem não diz nada. Sem se dar conta, fica ali de pé observando o lixo. Júnior ronca pesado. Sênior percebe que não jogou o papel amassado. Pega e lê. A frase está inclinada. Sobre um céu cinzento de uma ilustração em preto-e-branco. A imagem marítima mostra uma série de navios de guerra. No canto superior esquerdo há um homem, meio-corpo, olhando num binóculo. Está de costas para o espectador. Parece ler a frase. Entre ele e a frase, um avião esmaecido pela perspectiva atmosférica. Abaixo da gravura outra ilustração na pequena página. O detalhe de um avião, mais nítido. Seu bico, as turbinas, um par de hélices. Sob ele um bloco de texto numa coluna à esquerda. O texto segue disposto num bloco que ocupa a área de duas colunas entre o centro e a margem direita. Explica as dificuldades e a tecnologia necessária para a organização, planejamento e contabilidade da grande variedade de suprimentos e provisões, munições, drogas e roupas numa operação de guerra.

O QUE ENCERRA UM COMBOIO?

PRODUÇÃO PARA A GUERRA

A fabricação do equipamento aeronáutico para a Aviação Militar dos Estados Unidos e a produção de máquinas de calcular e de contabilidade para os serviços militares, repartições do governo e indústrias bélicas das Nações Unidas são as tarefas essenciais à Burroughs no Programa da Vitória.

*

Há representantes da Burroughs em todas as cidades importantes do mundo. A representante da Burroughs no Brasil é a Companhia Burroughs do Brasil, Inc. Com sede à rua da Alfândega, 81, 1º, Rio de Janeiro.

*

BURROUGHS

MÁQUINAS DE SOMAR, CALCULAR, FATURAR,

DE CONTABILIDADE, ESTATÍSTICA

E CAIXAS REGISTRADORAS

2

Bruna quase perde a hora. Sai apressada. Burroughs. Precisa encontrar os livros de Burroughs. Está certa de que aí reside o mistério. Na hora do almoço vai passar na livraria que fica na rua da loja. O único título que conhece de sua obra é *Naked lunch*. Já é um começo. Júnior escancara os olhos. Vê cores e luzes em padrões geométricos. Os padrões se alternam como num caleidoscópio. Extasiado, entra em convulsão. O corpo se debate no estreito sofá. Um homem caminha em sua direção. Usa uma máscara estranha. Júnior força os ombros contra o assento, procurando deter os espasmos. Sênior luta para segurar a língua do filho. Desde cedo ele aprendeu que não pode deixar a língua enrolar. Sênior não sabe lidar com a situação. O filho agora passou a ter ataques epiléticos. O médico disse que é coisa dos vermes. Os vermes que comem o cérebro. Júnior abre os olhos. Falta força para que possa afastar o homem com a bizarra máscara que agora acaricia a sua cabeça. Na hora do almoço, Bruna não encontra o livro na grande livraria. Corre os sebos da região. Encontra uma edição em português publicada em 2005. Come uma esfirra e volta para o trabalho. Lê entre uma venda e outra. *Almoço nu*. Primeiro capítulo: "Direto para o Oeste". *Consigo sentir a tocaia se armando, sentir os movimentos da polícia lá fora mobilizando seus informantes demoníacos cochichando ao redor da colher e do conta-gotas...* Segue lendo no metrô. Não faz muito sentido. Parece confuso. Começa bem, mas se torna absurdo. Bruna desconhece o princípio de Burroughs: *Uso o conhecido para chegar ao desconhecido*. Pensa que talvez precise comparar ao texto original. Resolve matar a faculdade. Desce na estação Paraíso e caminha até o Centro Cultural. Pega uma mesa no café e mergulha na leitura. Fazia tempo que não lia um livro que não fosse diretamente relacionado com as matérias da faculdade. Não há lugar para a literatura numa faculdade de artes. Cai uma fina garoa. A garoa traz lembranças de casa. Da mãe que fazia bolinhos de chuva em dias assim. Bruna se empenha, volta à novela, mas o livro não flui. Precisa voltar à página anterior e procurar o fio da meada. Quando se dá conta, o café está fechando. Caminha apressada para casa. Decepcionada. Esperava que fosse bater uma identidade imediata com Burroughs. As ruas estão escuras. A garoa é muito fina. Não chega a molhar. Pensativa e alheia, não percebe a presença dos garotos que surgem das sombras, disparam na direção dela e arrancam sua bolsa.

— Veado!

Ela grita. Sem querer. Depois se arrepende. Pega o livro, que caiu numa poça d'água.

— Filhos-da-puta!

Furiosa, caminha apressada para casa. Não havia nada de valor na bolsa além do celular e dos documentos. Fica puta só de pensar que vai ter que tirar segunda via.

Ao chegar em casa, encontra Júnior fazendo seus gráficos.

— Oi.

Júnior não responde. Nem parece notar sua presença.

— Olha o que eu comprei.

Júnior olha a capa do livro. Não há expressão alguma em seu rosto.

— Eu vou descobrir o que estão querendo dizer. Eu vou descobrir por que te mandam essas coisas. Eu acho que é isso que está te deixando doente. Você vai ver, você vai sair dessa.

— Fica de fazer meus, meus, aqui. Me deixa. Me deixa! Me deixa fazer o que eu faço! — Júnior grita furioso.

— É... Hoje não é o meu dia mesmo.

Bruna deixa as coisas no quarto e vai tomar banho. Depois faz uns ovos mexidos e leva o livro para a cama. O livro dá sono. Bruna dorme com a luz acesa. Sênior chega. Aproxima-se silenciosamente do filho. Júnior não percebe a presença do pai. Coça a cabeça de maneira agressiva. Move os lábios e emite sons estranhos.

— E aí? Tudo bem? O que você está fazendo?

— Eu não consigo ler essa pratada.

— Essa o quê?

— Essa parada que está escrita aqui. Eu não consigo trazer pra cá essa pratada.

Sênior não sabe o que dizer. Visualiza vermes.

— Não é pratada. Como é, pai?

— Eu não sei. Não entendo.

— Você fica a Bruna no buraco do olho, né, pai?

— Quê? O que você está falando?

— Olho olho krakenposeidenbaziostyphondagonsethe kills.

Sênior deixa o filho e se fecha no quarto. Ouve Júnior repetir palavras sem sentido por mais de vinte minutos. Depois ele se cala. Nesse momento a tensão aumenta. Sênior sente cada vez mais medo do filho. Principalmente do seu silêncio.

3

Bruna acorda com o cheiro do café. Encontra Sênior na cozinha. Beija seu rosto. Ele serve uma xícara de café para ela. Bruna parte um pão e passa margarina.

— Você não está atrasada?

— Eu vou ter que faltar hoje.

— Por quê?

— Eu fui assaltada ontem à noite.

— Não brinca. Foi ele?

— Não, não. Fui assaltada mesmo. Uns meninos arrancaram a minha bolsa e saíram correndo. Que raiva.

— Droga! Punguistas! Essa região está ficando perigosa. Levaram muito dinheiro?

— Não. Uns trinta reais. O problema é que levaram os meus documentos e eu vou ter que ir naquele inferno do Poupatempo.

— Precisa fazer boletim de ocorrência.

— Já fiz pela internet. O senhor está bem? Parece cansado.

— Eu estou preocupado. O menino não está nada bem.

— Precisa marcar o exame.

— Eu agendei. Agora tem que esperar ser chamado.

— O senhor sabe fazer bolinho de chuva?

— Não sei. Você está com vontade?

— Estou.

— Aí nas gavetas tem uns livros de receita da Olga. Deve ter receita de bolinho de chuva.

— Quando eu voltar, eu procuro.

— E esses que te assaltaram não te molestaram?

— Não. Pegaram a bolsa e saíram correndo. Nem vi a cara deles.

Bruna passa horas na fila para tirar a segunda via dos documentos. Precisa ligar de um telefone público para sustar o talão de cheques e bloquear o cartão do banco. Mesmo exausta, ela resolve voltar ao sebo para procurar outro título de Burroughs. Fica surpresa quando no caminho depara numa banca de jornal com uma edição de bolso de *O gato por dentro*. Sintonia. Compra um exemplar. No sebo encontra uma edição de *Junky*, publicada em português em 2005, e de *Cidades da noite escarlate*, 1995. Feliz com o novo material, vai para casa mergulhar nas investigações. Sua coleção cresce rapidamente. Dedica o tempo de lazer à pesquisa. Pula de um título para outro, tamanha é a sede. *Junky* flui bem. Então de repente ela perde o fio da meada. Alterna a leitura desse com a dos outros títulos. Acha *O gato por dentro* bobo, ingênuo. Não sabe que é um dos últimos trabalhos. *Cidades da noite escarlate* começa bem, mas vai ficando ininteligível e incongruente. Questiona como Burroughs pode ser tão cultuado com livros tão inconstantes, chatos e herméticos. Percebe que talvez precise ser iniciada de alguma forma.

Bruna começa a se interessar pela vida de Burroughs ainda mais do que por sua ficção. Resolve faltar na faculdade e seguir a pesquisa na internet. Descobrir um pouco mais sobre a vida do autor além do que já sabe: que ele matou a esposa com um tiro na cabeça e foi o pai da Geração Beat. Percebe que, se quiser aprofundar seus conhecimentos, precisará comprar outros títulos que não foram traduzidos para o português. Decide comprar um caderno, só para compilar as informações.

Nota que, durante todo o tempo que ela passou estudando, Júnior permaneceu quieto, compenetrado em seus cadernos.

4

A hora é medonha. Júnior dorme à tarde para passar a noite em vigília. Está atento às vozes. Agora ele as compreende. Estão do seu lado. É com ele que elas conspiram. Júnior está atento aos sussurros. Sabe que deve obedecer a suas ordens. Não há escolha. Aproxima-se da porta do velho. Embora o coração ainda dispare, o motivo é outro. Contrário. O som é constante, mas já não é confuso. Agora compreende o que dizem. Seu corpo é possuído por elas. Abre a porta. O velho dorme com o ventilador ligado. O barulho do ventilador o irrita. Sabe que é um truque do velho para confundi-lo. Sai. Abre a porta do quarto ao lado. Bruna dorme. Na enfermidade o sobrenatural é possível. Algo não o deixa esquecer onde o pai guarda a arma. A arma. Volta à sala para apanhar o revólver e dá de cara com a velha reprodução do menino chorando. Já não vê o menino. Abre o bar. Desenrola o revólver da flanela. Empunha a arma. Caminha até o quarto de Bruna. Ela deve ser a primeira. É mais rápida e pode reagir. Sabe que seu pai não vai reagir. Sabe que o velho não vai fugir e largar o filho doente, haja o que houver. As vozes o instruem. Júnior caminha silenciosamente. Descalço. O quarto está escuro. A luz da sala está acesa. Júnior enxerga pela fresta da porta do quarto, que ele mesmo deixou entreaberta de forma que a luz chegasse até o vulto da moça. Aproxima-se de Bruna. Aponta a arma para a cabeça dela. Sabe que não pode vacilar. Quase encosta o cano numa das têmporas da jovem. Dispara. O som é seco. A agulha encontra o tambor vazio. Novo disparo. Bruna se mexe. Não acorda. Sênior teve o cuidado de esconder a munição quando começou a achar agressivo e inconstante o comportamento do filho. Júnior volta para a sala e vasculha a estante. O barulho que faz derrubando os livros e revirando as gavetas acorda o pai. Sênior está gelado em seu leito. O filho vocifera coisas ininteligíveis. Blasfema.

— Meu senhor! Estou ouvindo aqui de você, meu senhor Pazuzu, venta o vento, a voz do vento escuto, meu senhor, aqui da Terra!

Bruna também acorda. Petrificada, ela chama pelo velho sem sair do quarto.

— Seu Zé? Seu Zé!

— Ave, ave!

O velho não consegue falar. Um nó em sua garganta o estrangula. Os gritos rompem o êxtase. Júnior corre e guarda a arma. Caminha lentamente até o interruptor e apaga a luz. Está confuso.

— Seu Zé? Responde, por favor! Eu estou com medo.

— Bruna.

Atordoado, Sênior consegue gritar. Agora todo o apartamento está escuro. A tensão que Bruna sente é insuportável.

— Seu Zé, vem aqui, por favor. Eu estou com muito medo.

— Eu já vou. Fica calma.

Sênior apanha a lanterna na gaveta do criado-mudo. O facho de luz varre o cômodo. A pilha está fraca. A luz é intermitente. Júnior deita no sofá e finge dormir. Sênior levanta e, vencendo o medo, aciona o interruptor ao lado da porta do quarto. Bruna relaxa.

— Eu estou indo, Bruna. Fica calma.

Sênior caminha até o sofá e ilumina o rosto do filho. Depois vai direto para o quarto de Bruna e a abraça.

— Está tudo bem, agora.

— O que deu nele?

Sênior sussurra:

— Ele surtou de novo.

— Eu tinha fechado minha porta. Foi ele que abriu?

— Só pode ter sido.

— Eu não sei se vou continuar morando aqui, seu Zé.

— Calma, menina. Não foi nada. Eu nunca deixarei que ele faça mal a você.

Eles não sabem o que aconteceu de fato.

Mesmo assim sentem o ar carregado.

O olhar de Júnior se torna cada dia mais ameaçador.

— Me abraça, eu estou com medo.

O velho dá um abraço apertado.

— Eu tenho sentido uma coisa ruim. Um aperto no peito.

— Você está preocupada.

— Será que essas coisas estão me afetando também?

— Que coisas?

— Essas que mandam nas caixas.

— Ara! Você não acha que o Júnior está assim por causa dessas bobagens, acha?

— O senhor acha que não?

— Que bobagem, menina. Ele está doente. O problema dele é aquilo que o médico falou. Ele está doente. Talvez sejam os vermes, os parasitas, na cabeça dele.

5

É dia. A cabeça dói. O chilrar da cigarra. Ecos. Não consegue sair do sofá. Vê um rosto terrível na parede manchada. Quando se dá conta de que não há ninguém em casa, levanta. 6033AD0368. Porta-escovas da partida. Apanha o caderno. Cruza linhas. Diagrama. O alfabeto em forma seqüencial. Compulsiva. Sistemática. Espelhada. Pontua. Figuras. Formas ocupam espaço. Movimentos cada vez mais frenéticos. Transe. Calmaria. Sono. Volta a dormir.

— Acorda, filho, tem visita pra você.

Júnior abre os olhos. Sênior segura Caio pelo braço. Júnior parece desorientado ao ver o filho.

— E aí, pai?

Júnior estende as mãos, convidando o filho a um abraço. Caio senta a seu lado. Um forte abraço.

— Eu queria ver esse você, filho. Eu sentia tanta coisa aqui dentro da caixa da cabeça e daqui do peito. Eu queria tanto ver e segurar esse você.

— Tudo bem, pai. Eu estou aqui.

Júnior não consegue conter a emoção. Apanha um dos cadernos empilhados na mesinha de centro.

— Eu ia deixar isso todo que te ia mostrar coisas que de tudo que agora é. E é como é que as coisas coisam, sabe? Esse você eu deixava, por isso escrevi.

— Sei, pai. Sei, sim.

— Esta é tudo pra você saber.

O menino procura esconder as lágrimas. Júnior não as disfarça. São como um alívio. Deita a cabeça no colo do filho. Antes de também ficar emocionado, Sênior interrompe a cena.

— Quer um guaraná?

— Não, vô, obrigado.

— Toma um guaraná. Eu comprei pra você. Está geladinho.

— Eu tomo, vô.

— Eu vou deixar minha caixa com você aqui no seu coiso pra deixar um pouco de pensar nas coisas porque me cansa mais muito, filho. Me cansa e as coisas que eu quero falar, tudo faz muito barulho.

O menino faz um carinho desajeitado na cabeça do pai. Sênior volta com o copo de refrigerante.

— Fica aí com teu pai. Eu vou aproveitar que é sexta e vou até a feira buscar uns pastéis pra gente almoçar. Do que você gosta?

— Tanto faz, vô. Qualquer um.

— Qualquer um não tem. Gosta de queijo?

— Pode ser, vô.

— Eu gosto do que tem queijo dentro dele.

— Eu vou buscar. Caio, qualquer coisa, liga no meu celular. Você tem o número?

— Tenho. Fica tranqüilo, vô.

— Tinha um homem na casa de pau. De sonhar é que fala quando é de coisa?

— É, pai. É isso.

— Me cansa, filho. O barulho.

— Descansa, pai. Dorme um pouco.

— Eu vou deixar aqui a cabeça.

— Isso.

Uma sensação de imenso conforto e tranqüilidade se apodera do corpo de Júnior. Ele adormece rapidamente no colo do filho.

6

Júnior deixa o prédio. Onze e quarenta e cinco da noite no relógio de pulso que era de seu pai. Apressa o passo. O metrô vai fechar. A rua é mal iluminada. Um carro buzina ao passar. Júnior corre. Desce a escadaria. As escadas rolantes já foram desligadas. Júnior chega à plataforma vazia. Alguém anuncia que o próximo trem será o último. Júnior avista no outro extremo da plataforma um velho de chapéu e bengala. O velho faz sinal para ele. Ele não entende o que o velho quer. O velho caminha em sua direção. Júnior respira pela boca. *É um sonho, eu sei que é um sonho.* O velho começa a deslizar em sua direção. Seu coração dispara. Há algo estranho na cara do velho. Ele percebe isso enquanto o velho avança em sua direção. A cor é estranha, é uma cabeça falsa. Uma cabeça de madeira. Um pedaço de pau pintado. O trem se aproxima. *Eu já tive esse sonho.* Júnior entra no primeiro vagão. Teme que o velho o alcance. Torce, em vão, para que as portas se fechem. O velho entra. Júnior olha os sapatos. Não quer encarar aquelas feições. Sabe que o rosto do velho é monstruoso. O velho senta a seu lado. Júnior mantém o olhar fixo nos sapatos. A respiração do velho é ruidosa. Seu cheiro é desagradável.

— Filho.

Júnior finge que não é com ele.

O velho começa a rir. As luzes se apagam.

O velho encosta os lábios na orelha de Júnior e sussurra:

— Está feito.

— Ele está dormindo?

— Ele dormiu.

— Você é o filho dele?

— Sou.

Bruna não consegue disfarçar a felicidade ao ver o menino. Foi ela quem insistiu para que Sênior o trouxesse.

— Então você é o Caio?

— Isso.

Bruna beija seu rosto, comovida.

— Que bom que você veio. Você não sabe como isso é importante para ele.

— Ele não tá legal, né?

— Não. Ele não está bem. Mas ele deve estar muito feliz com a sua visita.

— E o que é que ele tem? É tudo por causa da bebida?

— Não. Os médicos ainda não sabem. Eles estão fazendo os exames.

— Olha que engraçado.

— O quê?
— Ele está rindo.

7

Bruna nunca gostou muito de seu emprego. Suportava-o para aliviar um pouco o fardo do pai, que já banca a faculdade e os gastos do dia-a-dia. Com o que ganhava no trabalho ela pagava o aluguel do quarto, e ainda sobrava um dinheirinho para o lazer. Sabendo que o pai poderia arcar com um pouco mais, ela resolveu largar o emprego para poder dedicar mais tempo a suas pesquisas. Naturalmente não disse aos pais, nem a Sênior, que a decisão partiu dela. Disse que fora demitida. Bruna passa a desenvolver uma verdadeira obsessão por Burroughs. Com informações que consegue na internet, resume em poucas folhas de seu caderno os oitenta e três anos vividos pelo escritor. Seguindo suas pesquisas, depara quase acidentalmente no prefácio de *Queer* o episódio de William Tell narrado pelo próprio Burroughs.

> Brion Gysin me disse em Paris: *For ugly spirit shot Joan because...* Uma mensagem muito espiritualista que não foi completada. Ou foi? Estará completa se lida desta forma: *Ugly spirit shot Joan to be cause.* "O Espírito Medonho disparou em Joan para ser a causa." Ou seja, para manter uma repulsiva ocupação parasitária. Meu conceito de possessão se aproxima mais do modelo medieval que das modernas explicações psicológicas, com sua insistência dogmática de que essas manifestações têm que vir sempre de dentro e nunca, nunca, de fora. (Como se houvesse uma diferença nítida entre o interior e o exterior.) Falo de uma entidade possessiva definitiva.

Bruna segue lendo arrepiada.

> Em 1939 me interessei pelos hieróglifos egípcios... Sim, os hieróglifos abriram as portas para o mecanismo da possessão. Como um vírus, a entidade possessiva encontrou uma entrada. Essa ocasião foi o primeiro indício nítido que tive de que havia algo em mim que não era eu, e que eu não podia controlar.

8

Os três jantam na mesa da cozinha. Júnior não consegue mais fingir que não percebe que aquelas figuras monstruosas são imitações pouco convincentes dos seres que antes habitavam a casa. São grotescas. A cara do pai é uma imitação ainda mais barata. Ele chega a ter nojo daquilo. É evidente que a cabeça do velho é de madeira pintada. Mal pintada. Os cabelos não passam de uma pelúcia barata. Seus movimentos também são mecânicos e desconjuntados. O corpo é estofado de palha.

— E então, filhão, como se sente?

Júnior ri de forma exagerada. Diabólica. Caricata. Sênior baixa os olhos. Bruna empurra a comida no prato. Sênior não consegue esconder o medo. Toca no braço de Bruna.

— Terminou?

— Eu estou sem fome.

— Vamos até a Lurdinha ver um filme?

— Eu queria continuar minha leitura.

— Deixa isso um pouco de lado. Só hoje.

— Então vamos.

— Você, filhão, toma o remédio e descansa um pouco. Estou te achando meio agitado.

A doença do filho parece ter sugado o ânimo de Sênior. Bruna começa a entrar em depressão. O silêncio de Júnior assombra a casa. Um buraco absorve a vontade. Os cadernos ocupam cada vez mais espaço. Enquanto Sênior sobe com Bruna, Júnior invade o quarto do pai. Vasculha o guarda-roupa. Precisa encontrar a munição para carregar a arma. Num vislumbre, lembra-se de ter visto umas balas quando mexia nas coisas do velho logo que chegou na casa. Estavam no criado-mudo. Abre a segunda gaveta. Empurra a caixa com a gaita, o binóculo, o jogo de chaves de fenda. Atira tudo para fora. Encontra a caixa de laca. Despeja sobre a cama os pertences da pequena caixa. Um par de abotoaduras, as peças de damas, o bispo preto, os slides da puta, a prótese dentária, enfim, duas balas calibre 38.

Lourenço Mutarelli nasceu em 1964, em São Paulo. Publicou também *O cheiro do ralo* (2002; adaptado para o cinema por Heitor Dhalia, em 2007), *O natimorto* (2004; adaptado para o cinema por Paulo Machline, em 2008), *Jesus Kid* (2004), e diversos álbuns de quadrinhos, entre eles, *Transubstanciação* (1991) e a trilogia do detetive Diomedes: *O dobro de cinco, O rei do ponto* e *A soma de tudo I* e *II*. Escreveu peças de teatro e atuou em curtas-metragens e nas adaptações de seus livros.

ESTA OBRA FOI COMPOSTA PELO MÁQUINA ESTÚDIO EM JANSON TEXT E AAUX E IMPRESSA PELA GEOGRÁFICA
EM OFSETE SOBRE PAPEL PÓLEN BOLD DA SUZANO PAPEL E CELULOSE PARA A EDITORA SCHWARCZ EM JANEIRO DE 2014